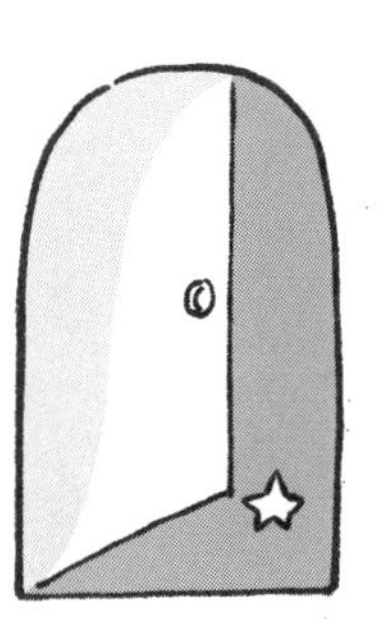

装丁　ニマユマ

イラスト　こやまこいこ

10分からはじめる「本質を考える」レッスン

親子で哲学対話

苫野一徳

大和書房

「かわいい」ってどういうこと？

「大人」ってどんな人？

「幸せ」って何？

子どもから何気なく投げかけられるギモンに、
うまく答えられなかった経験はありませんか？
コツさえつかめば、親子の気負いない会話の中で、
ちゃんと〝答え〟を見つけられる方法があります。

親子で哲学対話。
それは、夕食のあとや散歩中、
寝る前などに、一〇分くらい、
こうした問いに〝答え〟を見つけあっていくひとときです。

きっと宝物のような時間を、
ともに過ごすことができるにちがいありません。

はじめに

9歳、人生に悩む

きっかけ

長女が小学校4年生のとき、わたしに突然、「パパ、寝る前にちょっと哲学対話やるよ」といってきたことがありました。

哲学者の父としては、願ってもないことです。「おお、ついに娘がパパの仕事に興味をもちはじめたか」と、思わずニヤリとしました。

でも同時に、彼女にまた何かあったのかなという心配も、そのとき、わたしにはやってきたのでした。

その一年前、小学校3年生のとき、娘は約半年間、不登校になりました。いや、当時の彼女の言葉を借りれば、「学校をやめた」のでした。

学校辞める！
はじめての哲学的思考

それまでの数ヵ月、娘は、一見楽しそうに学校に通ってはいたのですが、夜になるといろんな不安がやってくるようで、しばしば泣いていました。そしてある頃から、学校には行きたくないといい出し、しばらくして突然、「パパ、ママ、わたし、学校やめたから」と宣言してきたのです。

長い間、つらい思いを抱えながら登校していたのを知っていたわたしたちは、彼女が時間をかけて自ら下した決断を、尊重しました。

親としても、哲学者としても、そして教育学者としても、多くを学んだ半年でした。

学校に行かなくなった分、娘には、一人で悶々と悩みつづける時間がますます増えていきました。学校に行けなくなったのは、自分が弱いからではないか、自分が悪いのではないか、自分はダメな人間なんじゃないか……。どれだけ親が、そんなことを思う必要はまったくないと陰に陽に伝えても、娘はそう考えて、どんどん落ち込んでいったのでした。

生きるってなんだろう、強さってなんだろう、学校ってなんだろう、友だちっ

てなんだろう……。そんなことを、毎日、考え、悩みつづけていたようです。

哲学対話で本質を問う

娘が哲学対話を知ったのは、その頃のことでした。わたしが、大学のゼミや、多くの小・中・高校などでやっている「本質観取（ほんしつかんしゅ）」という哲学対話に、彼女は興味を抱くようになったのです。

本質観取、それは文字通り、ものごとの本質を言葉にして編み上げていく哲学の思考法です。幸せとは何か、学びとは何か、かっこいいとは何か、遊びとは、恋とは、信頼とは、成長とは……こうしたものごとの本質を、共に考え、言葉にしていくのが、本質観取の哲学対話です。

わたしがいろんなところで開催しているこの哲学対話（本質観取）のワーク

ショップに、娘は時折、参加するようになりました。そして彼女なりに、これは自分の人生の役に立つんじゃないかと、思うようになったようなのです。

それから何年かたったある日、娘がこんなことをいってきたことがありました。

「あのときに本質観取を知って、どんな問題も、深く考えれば納得できる答えはちゃんと見つかるんだという感触をつかむことができたんだよね。あれはすごくよかった」

父としてというより、哲学者として、とてもうれしい言葉でした。

思考や対話にはコツがある

よく、哲学は、答えのない問題をただぐるぐる考えているだけのものといわれます。

でもそれは大きなまちがいです。

哲学の命は、「なぁるほど、ここまでならたしかにだれもが深く納得できる！」という本質的な考えにたどりつくことにこそあるのです。


自由とは何か、希望とは何か、よく生きるとはどういうことか……。

もちろん、絶対に正しい答えがあるわけではありません。でも、「なるほど、それはたしかにいえてる、本質的だ！」という深い洞察に、どこまでたどりつくことができるか。たどりつづけることができるか。そこに、哲学の最も重要な命があるのです。

そのための思考や対話の仕方には、コツがあります。そして経験さえ積めば、じつは小学生でも、立派な哲学者になることができるのです。

娘のほかにも、わたしはこれまでたくさんの子どもたちと本質観取をしてきました。そのたびに、わたしが考えもしなかったような洞察を次々に繰り出してくれる子どもたちに、毎回、うならされてきました。

子どもの思考力や対話力を、けっして見くびってはいけないと思います。大人と本質観取をするときより、すぐれた言葉が編み上げられることもしばしばなのです。経験を重ねることで、その力が格段に高まっていくことも実感しています。

〝そもそも〟を問う

学校をやめてから半年後、四年生になったタイミングで、娘は学校にもどることになりました。紆余曲折はありましたが、とにもかくにも、再び学校に通うようになったのです。

とはいえ、思春期まっただ中の高学年女子です。その後も相変わらず、友だち関係に、勉強に、学校に、悩みつづける毎日を過ごしていました。

4年生も終わりをむかえる頃になって、「パパ、寝る前にちょっと哲学対話やるよ」といってきたのには、彼女なりに深い悩みがあったからなのでしょう。

こうしてわたしたちは、いつしか、週に何度かのペースで、夜、寝る前に、ベッドの上に寝転がりながら、本質観取をするようになりました。

それがわたしにとってもとても楽しい時間だったので、娘が小学校を卒業するまでの二年間、『教職研修』という雑誌に、その対話の模様を連載させてもらうことにしました。主に校長先生や教育委員会の人たちが読む専門誌なのですが、驚いたことに、回を重ねるごとに、この連載が大きな反響を呼ぶようになりました。「我が家でもやってみたい」「うちの学校でもやってみたい」という声が、わたしの耳にたくさん届くようになりました。

気がつけば、この連載は、学校外の方にも広く読まれるようになっていました。

うれしかったのは、娘と同じように不登校になった子をもつ親御さんから、「本質観取をわが家でつづけたら、問題が解決したんです」というお話を聞かせていただいたことです。

「本質観取って、ものごとの〝そもそも〟を問うことですよね。わたしたち、親子で日々、いろんなテーマについての〝そもそも〟を考えつづけたんです。そうしたら、それまでの問題が解決してしまったんです」

たとえば「友情」の本質観取。

その子が学校で一番苦しかったのは、友人関係だったそうです。そこである日、「そもそも友情とは何か」をめぐって、親子で本質観取をしたのだそうです。その結果、その子を苦しめていた友人関係は、じつは「友情」関係なんかじゃなかったのだということに、二人して気づいたとのこと。だったら、別にいまの関係性にこだわらなくても、全然かまわないのではないか？　そう考えて、とても楽になったそうです。

〝そもそも〟の本質がわかれば、それにまつわる問題の解き方、考え方もわかる。

これは本質観取の、そして哲学それ自体の、最も重要な意義だとわたしは思います。

まずは10分、はじめてみよう

本書は、このときの連載をもとに書籍化したものです。書籍化にあたって、本質観取とは何か、またどうやってやるかについてのパートも書き下ろしました。

娘との対話は、短く編集してはいますが、ほぼ忠実な再現です。ふだん、学校の授業や企業などで行っているワークショップの場合、一時間から二時間くらいかけるのですが、娘との対話は、寝る前のせいぜい一〇分から二〇分くらい。だから、つむがれた言葉も、この時間でじっさいにたどりついたところまでです。

哲学者としては、そこからさらに深く言葉を練っていきたい思いにもかられます。でも、「親子で哲学対話」のリアルをお届けするために、加筆は（編集上の都合以外ではほとんど）していません。

「親子で哲学対話って、なんだかいいな。わが家でもやってみたいな。おもしろそうだな」

この本を読んで、そんなふうに感じてくださる保護者や先生や子どもたちがいてくだされば、わたしとしてはこんなにうれしいことはありません。

ぜひ、まずは気軽に、親子で、あるいは身近な人たちと、一〇分、二〇分、試してみていただけるとうれしく思います。

もくじ

第2章

本質観取のやり方
親子でできる哲学対話の実践方法

第3章

親子で哲学対話

本質をめぐる20の物語

第1章

本質観取って何?

——哲学対話で「本質」を問う

第1章では、まず、そもそも本質観取（ほんしつかんしゅ）とは何か、またどうやってやるのかについて、お話ししたいと思います。

ちょっと理論的な話になってしまうので、本編の「親子で哲学対話」から読みたい方は、第3章を先にお楽しみいただければと思います。そのあとで、もし興味が出たら、第1章に戻っていただく、という感じでも大丈夫かと思います。

といっても、ここでは専門的な話は（ほとんど）しませんので、どうかご安心ください。気軽に、気楽に、先をお読みいただければ幸いです。

「本質」なんてあるの？

といった矢先ではありますが、最初に一つだけ、いかにも〝哲学的〟な話をさせてください。

というのも、本質観取というと、よく、絶対の「本質」なんてあるわけないじゃないかといわれることがあるからです。

とりわけ、現代は価値の多様性が強調される時代です。

みんなちがって、みんないい。

だから、普遍的な本質を見つけ出そうなんていうと、眉をひそめられてしまうこともしばしばです。

でも、本質観取は、何も絶対に正しい真理とか本質を明らかにしようなんていうものではありません。

そもそも哲学は、じつはもう二〇〇〇年以上も前に、人間は絶対の真理なんてものにたどりつくことはできないのだということを〝証明〟しているのです。

そこで本理論編では、まずはこのことを、できるだけわかりやすくお話しするところからはじめたいと思います。

カラスはほんとうに黒色か？

たとえば、わたしたちはカラスは黒色だと思っていますが、そのカラス自身は、人間の目では認識できない紫外線が認識できるらしく、どうやらお互いを黒色とは見ていないらしいのです。

じゃあいったい何色に見えているのか？

わたしたちはカラスではないので、どうがんばってもわかりません。

つまりカラスは、あくまでもわたしたちの目には黒色に映っているだけで、そのほんとうの色（客観的真理）はけっしてわからないのです。

もっといえば、わたしが見ている黒色と、ほかの人がいうところの黒色が、絶対に同じかどうかだって、ほんとうのところはわかりません。

みんな「カラスは黒い」というけれど、それが絶対に同じ色を指しているかどうかは、究極のところわからないのです。

さらにさらに、わたしたちは「あ、あそこにカラスがいる」なんていいますが、それが絶対かどうかだって、究極のところわかりません。もしかしたらまぼろしを見ているのかもしれないし、だれかに催眠術をかけられて、存在しないカラスが見えている可能性だってあるのです。

ちょっとへ理屈のように聞こえたかもしれません。

でも、哲学にとって最も大事なことは、みんなが納得できる〝思考の始発点〟をまず見つけ出すことにあるのです。

どこから思考をはじめるか。その出発点をまちがえてしまうと、その土台の上に積み上げた思考は、どれもとてももろいものになってしまうからです。

「絶対」をめぐって戦うのはやめにしよう

その意味で、何か絶対に正しい真理がある、という考えを、わたしたちは「思考の始発点」にすることはできません。「カラスは黒色である」という、一見、客観的な真理に思えることでさえ、ほんとうかどうかあやしいので哲学は前提にしないのです。

じゃあどう考えればいいのか？

「本質観取」という言葉は、二〇世紀に現象学という哲学を創始した、エトムント・フッサールという哲学者が使った言葉です。彼は、それまでの哲学の精髄を受けついで、まず次のようにいいました。

絶対の真理とか本質とか、そんなものはどうがんばってもわからない。だから、そんなものは、そもそも問うこと自体をやめてしまおう！

この考え方は、実践的にもじつはとても重要な意義をもつものです。絶対に正しい真理のような考え方を前提にしてしまうと、じゃあ何が絶対の真理なのかをめぐって、終わりのない戦いが起こってしまうからです。

じっさい、これまでの人類の歴史においては、どの神が正しいのか、どの宗教が正しいのかといった問いをめぐって、激しい戦争が続いてきました。

でも、そんなものどうしたってわかるわけがない。だから、何が絶対に正しい宗教（真理）かをめぐって争いあうのは、もうやめにしよう。そう哲学はいうのです。

いまの社会において、信仰の自由や思想信条の自由などが認められるようになったのは、元をたどればじつはそうした哲学者たちの奮闘のおかげです。

絶対に正しい信仰や考えなんて（わから）ないのだから、どんな宗教を信じようが、どんな思想をもとうが、それが他者を傷つけるのでない限り、認めあおう。

そんな考えが、哲学者たちの思考のリレーを通して、少しずつ社会に広がっていったのです。

「みんなちがって、みんないい」のか？

以上のようなわけで、本質観取もまた、何か絶対に正しい本質を明らかにしようなどというものではありません。

でも、ここからが大事なポイントなのですが、もしわたしたちが「絶対に正しいことなんてない」とばかりいいつづけていると、それはそれで大きな問題が起こってしまいます。

たとえば、「じゃあこれからどんな社会をつくっていけばいいの？」という問いに答えることができなくなってしまう。「どんな教育をしていけばいいの？」という問いにも、答えることができなくなってしまうのです。

もっといえば、「絶対に正しい社会なんてない」とか「絶対によい教育なんてない」とかばかりいっていたら、結局、「みんなちがって、みんないい」という話で終わってしまうかもしれません。

もちろん、この言葉自体は、とてもすてきな言葉です（金子みすゞさんの詩の一節ですね）。でも、これも行きすぎれば、「えっ、じゃあファシズムの社会もいいの？　子どもを鞭打つ教育もいいの？」という話になりかねません。

だからわたしたちは、「絶対に正しい社会なんてない」とか「絶対によい教育なんてない」とばかりいうのではなくて、どこまでならみんなが納得できる「よい社会」や「よい教育」の〝共通了解〟にたどりつけるかと考える必要があるのです。

そうじゃないと、どんな社会や教育をめざせばいいかもわからないし、その現状を、ちゃんと批判することもできなくなってしまうでしょう。

本質観取とは、まさにそのような〝共通了解〟を見出しあう営みです。

「なぁるほど、それはたしかに本質的だ」とみんながうなってしまうくらいの深い〝共通了解〟を見出しあうこと。

それが本質観取なのです。

「わたしの確信」から考える

先ほど、みんなが納得できる「思考の始発点」を見つけ出すことが、哲学において は何より大事だといいました。

フッサールの現象学が画期的だったのは、哲学二五〇〇年の歴史において、ついにこの「思考の始発点」を見つけ出した点にあります。

むずかしい話ではありません。びっくりするくらいシンプルです。

たしかに、目の前のカラスは黒色ではないかもしれません。もしかしたら、ほんとうは実在していないのかも（まぼろしなのかも）しれません。

だから、「黒色のカラスが目の前に存在している」というのは、究極的には「思考の始発点」にはなりません。

でも、このときにも、どうがんばっても疑えないものがあるのです。

それは、「いまわたしには黒色のカラスが見えちゃっている」ということです。そしてそのために、ここに黒色のカラスが存在していることを「確信」してしまっているということです。


いま、目の前に黒色のカラスが絶対に存在しているのかどうかは、究極のところわかりません。でもわたしには、たしかにその確信や信憑があるのです。

要するに、カラスの存在にせよ何にせよ、わたしたちは必ず何らかの確信をもっている。そしてそのことを、わたしたちはどうがんばっても疑えないのです。

だから、一切をわたしの確信や信憑（しんぴょう）として考えてみよう。

これが、フッサールの現象学が見出したとってもシンプルな「思考の始発点」でした。

それぞれの「確信」をもちより「共通了解」を見つける

いかにも哲学的な、ちょっとめんどくさい話をしてしまったかもしれません。

でも、本質観取について深く理解いただくためには、これはとても大事なお話なのです。

というのも、本質観取とは、まさにわたしたちのさまざまな「確信」をもちより、その上で〝共通了解〟を見出しあう営みだからです。

たとえば、「よい教育とは何か？」とか「よい教師とは何か？」といった問い。

繰り返しいってきたように、この問いに絶対に正しい答えはありません。

だから本質観取においては、そもそもそのような問いは立てません。絶対に「よい教育」とか「よい教師」とか、そんなものを問うわけではないのです。

その一方で、わたしたちには、「ああ、これはいい教育だな」とか「いい先生だな」とかいった確信が訪れることはあるはずです。そして、そのように思ってしまったこと自体は、たしかなのです。

もちろん、あとになって、勘違いだったとか、考え直したとかいうことはあるかもしれません。でも、あるときに「この人はいい先生だな」と思ったとしたら、そのこと自体はたしかなのです。

本質観取とは、このように「わたしに訪れた確信」をもちよることで、みんなが納得できる〝共通了解〟を見出しあう営みです。

なぜわたしはこの人を「いい先生」と確信したんだろう。その根拠となる条件を考え、もちより、そしてほかの人も納得できるかを問うのです。

もし、それがほかの人も納得できるものであったなら、それは「よい教師」のさしあたりの本質的な条件ということができるでしょう。逆にいえば、これこれこういう条件がそろっていなければ、それは「よい先生」とはいえないんじゃないか、ということになるでしょう。

本質がわかれば、何をどう考えればいいかも見えてくる

以上にお話ししたことは、とても実践的な意義ももっています。

もし、だれもができるだけ納得できる「よい教師」の本質がわかれば、先生は、そんな教師を意識的にめざすことができるようになるでしょう。逆にいえ

ば、「よい教師」の本質がまったくわからなければ、先生は、何をめざしてどんな努力をすればいいかも、わからなくなってしまうでしょう。

このことは、「幸せ」にしても、「自由」にしても、「成長」にしても、「よい教育」にしても、同じです。わたしたちは、その本質を十分に言葉にできてはじめて、それを意識的にめざしていくことができるようになるのです。

もちろん、人それぞれ、考え方にはちがいがあるのが当然です。でも、その上でなお、というよりもだからこそ、どこまでみんなが納得できる考えにたどり着くことができるだろうか。そう考えながら対話を重ねていくのが本質観取なのです。「これはほんとうにすべての人にとって納得のいく考えになっているかな？」と、つねに自分たちをかえりみながら対話をつづけていくのです。

「親子で哲学対話」は、文字通り、親子の間で交わされるものです。たった二人——場合によっては三人や四人——で行う、短い対話です。でもだからこそ、ほかの人たちもちゃんと納得できるかなということを、いつも意識しながら実践することが重要だろうと思います。

民主主義の成熟のために

しばらく「哲学対話」がちょっとしたブームですが、哲学対話の実践の中には、あえて〝共通了解〟をめざそうとはしないものが多いようです。「前提を問い直す」とか、「自分とはちがう考え方を知る」とか、「視野を広げる」とか、そうした点に重点をおいた哲学対話が、国内外を問わず、おそらく主流だろうと思います。

それはそれとして、大事なことです。でもわたしとしては、もう一歩進めて、「ここまでならみんなが納得できる」という共通了解を見出すことにもチャレンジしてほしいなと思っています。

単に「人それぞれ」で終わるのではなく、異なる考えやバックグラウンドをもった人たちが、それでもなお、対話を通して深く納得・合意できることがあるんだということを経験すること。そのことは、異質な他者とともに生きていくことが求められる今日、とても意義深いことだと思うのです。

じつはわたしは、仲間とともに、海外の日本語学習者の方たちと行う本質観取の研究や実践にも取り組んでいます。母語も宗教も文化もちがう人たちが、日本語で本質観取の対話をするなんて、一見、無茶な実践のようにも思われるかもしれません。でも、これが意外とできてしまうのだから驚きです（もちろん、参加者にはある程度の日本語力が必要ではあるのですが。たまに英語なども取りまぜつつ行っています）。

その意味で、本質観取は、文化や価値観の多様性にとことん開かれた対話であるともいえます。できるだけだれもが納得できる本質を見出しあうことをめざすので、自分と異なる価値観や文化背景をもった人たちの声にも、というより、そうした声にこそ、つねに耳を傾けあうからです。

民主主義社会とは、多様で異質な人たちが「対話を通した合意」に基づいてつくりあう社会です。

暴力ではなく、対話の力でつくりあう社会です。

本質観取とは、まさにそんな「対話を通した合意形成」の営みにほかなりません。

もしも、多くの人が、そして子どもたちが、そんな経験をたっぷり積んでいくことができたなら。

わたしたちは、この民主主義社会をいっそう成熟させていくことができるにちがいない。世界の平和にだって、寄与できるかもしれない。

わたしはそう、本気で考えたりもしています。

自分のことを深く知る

最後にもう一点、本質観取の意義として、自分自身のことをより深く知ることができるようになる、ということも強調したいと思います。

たとえば「友情」の本質観取をつづけていると、「あぁ、自分はこんな感情を友情と思っていたんだな」ということを、言語化を通して改めて発見することができます。その過程で、自分がどんな友だちを求めていたのかとか、もっといえばどんな人生を欲していたのかとか、そんなことまであざやかに見えてくることがあるのです。

対話を重ねる中で、自分のユニークさに気づくこともあります。あるいは独善性に気づくこともあります。みんな同じ考えだと思っていたけど、自分だけだったんだ。そんなことに気がつくことがあるのです。

反対に、自分だけだと思っていたけど、みんな同じように感じていたんだな、という発見をすることもあります。

こうした自己了解の深まりは、わたしたちが幸せに生きていくために、とても大事なことだと思います。

「親子で哲学対話」は、子どもたちの思考力や言語力、対話力を、飛躍的に育んでくれるものだと実感しています。でもそれと同時に、あるいはそれ以上に、子どもたちが、自分はどんな人間で、何が好きで、どんなことを大事にしていて、どう生きていけば幸せになれるのかといったことを、深く知り、考えていけるようになることも、とても意義のあることではないかと考えています。

第2章

本質観取のやり方

――親子でできる哲学対話の実践方法

❸ 本質的なキーワードを見つける

すべての事例に共通するキーワードをいくつか見つけていきます。

▶**Ex.** 自分自身の問い、能動性、役に立つ……etc.

❹ 本質を言葉にする

最も核心をついた言葉で、その本質を言葉にしてみます。

▶**Ex.**「学びとは、自分自身の問いと気づきを通して、生が豊かになっていく営みである！」）

❺ ❶に答える

見つけ出した答えが、最初の問題意識に答えるものになっているかたしかめてみます。

▶**Ex.** 学校の勉強を、もっと自分の「問い」から始まるものにできれば、きっと意義を感じられるはず！

行きづまったら、ちょっと戻ってみるといいかもしれません。

たとえば、④で出てきた本質が、②であげたすべての事例にちゃんと共通しているかどうか、何度もたしかめ直します。

「本質観取」のやり方

例：「学び」ってなんだろう？

❶ 本質がわかると、どんないいことがある？

まずは、なぜこのテーマで本質観取をしたいのかを話し合います。

▶**Ex.** おもしろいと思えない学校の「勉強」、どうすれば意味ある「学び」にできるかな。

❷ さまざまな事例をあげる

経験から、「あれは学びだったなぁ」「これこそ学びだ」と思った具体的な例を出し合います。

▶**Ex.** 夢中に調べ物をしていたとき、知らなかったことを知れたとき、失敗から学んだとき……etc.

本章では、本質観取（ほんしつかんしゅ）のやり方について、簡潔にお話ししたいと思います。

といっても、こればかりはやってみないとよくつかめないところがあります。少なくとも、実例を見てみないと、イメージしづらいところがあるのではないかと思います。

ですので、以下の手順はまずざっとお読みいただくことにして、その内実は、第3章の「親子で哲学対話」でお楽しみいただければと思います。

0 前提の確認

まず、繰り返しお話しした通り、本質観取は何か絶対に正しい本質を明らかにしようとするものではありません。

たとえば「学び」であれば、何をもってわたしたちはそれを「学び」と呼ぶのか。つまり、なぜ「勉強」でも「訓練」でもなく、「学び」と呼ぶのか。その本質的な条件を見出しあっていくのです。このことを、まずは親子（参加者同士）で確認します。

❶本質がわかるとどんないいことがある？

以上を確認した上で、まずはお互いの問題意識をシェアしてみるといいでしょう。

なぜ「学び」の本質観取をしたいのか。その本質が見えたら、どんな意義があるだろう？　そんなことを、親子（参加者同士）で交換してみるのです。

たとえば、「おもしろいと思えない学校の勉強を、どうすれば意味ある学びにできるかな」という問題意識が出てくるかもしれません。

こうやって最初に自分（たち）の問題意識をはっきりさせておくと、本質観取の意義もぐっと深まります。見えてきた本質が、ちゃんとこの問題意識にこたえるものになっていれば、やってよかったなと思えるにちがいありません。

❷さまざまな事例をあげる

次に、そのテーマの具体的な事例を、できるだけたくさんあげていきます。「学び」を例にしてつづけると、夢中で調べ物をしていたとき、知らなかったことを知れたとき、失敗から学んだとき……など。

❸本質的なキーワードを見つける

以上のように具体例をたくさんあげていくと、それらすべてに共通したキーワードがいくつか見えてくるはずです。

たとえば、「自分自身の問い」「能動性」「役に立つこと」……といったキーワードです。

❹本質を言葉にする

キーワードがそろったら、それらはほんとうに不可欠のキーワードといえるかどうかなどを深掘りしていきます。

そのときに、似た言葉などと比べてみると、本質がより浮かび上がってくるでしょう。

たとえば、先述した勉強や訓練、あるいは教育といった言葉とのちがいなどについても、考えてみるのです。なぜ、夢中に調べ物をしていたときは、「勉強」というより「学び」と思えたんだろう？　そんなことを考えあうことで、さらに納得度の高い言葉が見えてくるはずです。

反対概念と比べてみるのも有効です。「学び」の反対概念はちょっと思いつきませんが、たとえば「善」とは何かだったら「悪」について、「幸福」とは何かだったら「不幸」について考えてみるという感じです。

そして最後に、「学びとは～～～～～な～～～～～である」といった具合に、ある程度まとまった言葉にしていくのです。

ちなみに、前にわたしが何人かの小中学生とこのテーマで本質観取をしたときにたどり着いた言葉は、「学びとは、自分自身の問いと気づきを通して、生が豊かになっていく営みである」でした。うなってしまうような、味わい深い言葉です。

❺最初の意識に答える

本質が言語化されたら、それが最初の問題意識に答えられるものになっているかどうか、たしかめてみるといいでしょう。

「おもしろいと思えない学校の勉強を、どうすれば意味ある学びにできるかな」という問いに、ちゃんと答えられる本質観取ができただろうか？　そんなふうに考えて、本質観取の意義をたしかめるのです。

先の小中学生たちとの対話のときには、学校の勉強を、もっと自分の「問い」からはじまるものにできれば、きっと意義を感じられるはず、といったことが話し合われました。これもまた、味わい深い、そして〝役に立つ〟発見だと思います。

行きづまりを感じたらステップを戻る

対話の途中、行きづまりを感じたら、ステップをちょっと戻ってみるといいかもしれません。

たとえば、❹で出てきた本質が、❷であげたすべての事例にちゃんと共通しているかどうか、何度もたしかめ直してみる、といった具合に。

以上が、本質観取のごく簡単な流れです。とってもシンプルです。

哲学二五〇〇年の歴史において、すぐれた功績をあげた哲学者たちは、みんなこの本質観取の名手たちでした。

彼らはみんな、いわば職人芸のようにして本質観取を展開した人たちです。

でも、やっていることは、ざっくりいえば右のようなことなのです。

とはいえ、じっさいにやってみると、的の中心を射るような言葉をつむぐのは意外にむずかしいことに気がつかれるかと思います。テーマによっては、途方に暮れてしまうほどむずかしいこともあります。

わたし自身は、一冊まるまる「愛」の本質観取をしたその名も『愛』（講談社現代新書）という本を書いているのですが、これも、文字通り途方に暮れてしまうほどむずかしいテーマでした。

構想に二〇年、執筆には二年かかりました。

でも、それが大事なテーマであればあるほど、そうやってじっくり考えつづけ、考え抜くことができることは、哲学者として最高のよろこびです。

もちろん、そこまで人生をかけなくても、日頃からものごとの本質を言葉にする経験を重ねていけば、本質観取の腕は格段に上がっていくはずです。

本書でご紹介する「親子で哲学対話」は、そんな哲学のいわば〝はじめの一歩〟です。

その意味で、この本でお伝えしたいのは、さまざまなテーマについての本質観取の〝成果〟というより、こんな対話が小学生でも十分にできるのだということ、また、その経験が、子どもの成長にとってとても意義深いものになるということです。

親が子を知る、またとない機会にもなるはずです。わが子がこんなに深いことを考えていたなんてと、驚かれることもきっと多々あるはずです。

それでは、親子で哲学対話、ぜひお楽しみいただけると幸いです。

第3章

親子で哲学対話

――本質をめぐる20の物語

第1話「幸せ」ってなんだ？

娘との哲学対話は、たいてい、夜にわたしが仕事を終えて、リビングでホッと一息ついているときにはじまります。

ドアを開けて、娘がいってきます。

「パパ、今日、本質観取（ほんしつかんしゅ）しよ」

もうちょっとゆっくりしていたいんだけどな、と思うこともないわけではないのですが、結局のところ、娘との本質観取は何より楽しい時間です。

「よっしゃ」と答えて、立ち上がります。「もう歯は磨いた？」

うん、といって、娘はそそくさとベッドに向かいます。

わたしもあとを追い、娘のベッドに寝転がります。

天井を見ながら、娘にたずねます。

「今日は何の本質観取する？」

「うん、えっとね」と娘が答えます。テーマはたいてい、娘がもってきます。「幸せとは何か、はどう？」

「幸せ。うん、いいね」

こうして今日も、親子で寝る前哲学対話のはじまりです。

父「まずは、あぁ幸せだなぁって思うときの具体例をあげていこうか」
娘「うん。おいしいものを食べてるときでしょ、好きな絵を描いているときでしょ、あと、好きな人と一緒にいるとき……」
父「うんうん、つまり、パパとこうして……」
娘「（無視して、かぶせて、）あ、でも好きな人といるときは、〝幸せ〟っていうより〝うれしい〟って感じかな」

父　「なるほど。何がちがうんだろう？」

娘　「〝うれしい〟よりレベルが高いのが〝幸せ〟なのかな」

父　「たしかに」

娘　「でも、おいしいものを食べてるときって、〝うれしい〟よりレベル高いのかな。もうちょっとささやかな感じもする。あ、そういえば、ささやかな幸せっていい方もするよね」

父　「なるほど、たしかに。幸せって、すごく激しいよろこびのこともあるけど、たいていはささやかな、なんかあったかい感じがするものかもね。パパは、RNちゃん（長女）とRYちゃん（次女）の寝顔を見ているとき、すごく幸せになる」

娘　「え。見てるの」

父　「見てるよ」

娘　「幸せなときって、なんかこう、自分で味わってるって感じがあるよね。それに対して〝うれしい〟は、受け身に与えられてるだけっていうか。瞬

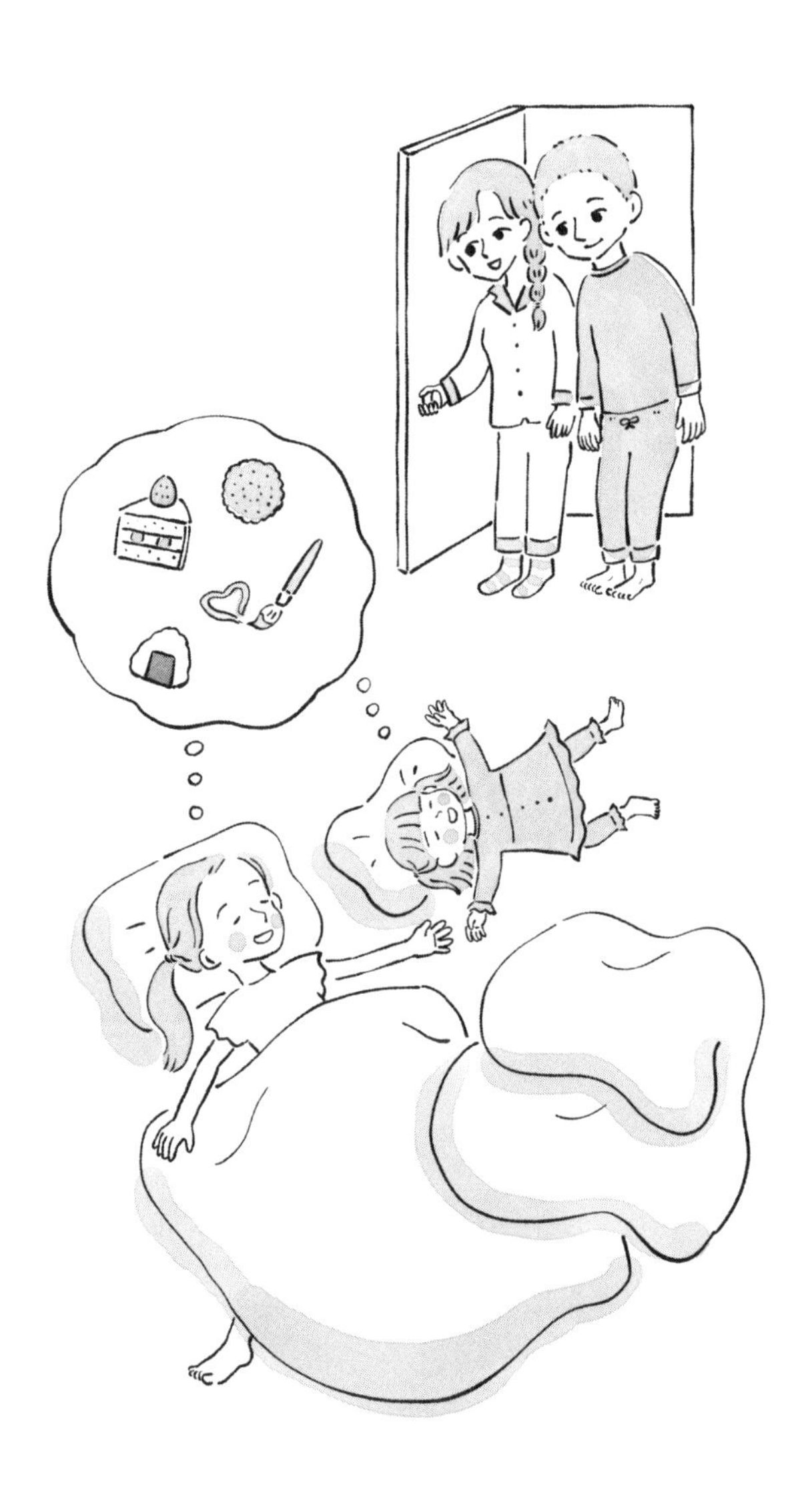

間的に思うだけというか……」

父「なるほど、おもしろいね。パパは、RNちゃん（長女）とRYちゃん（次女）が生まれたときは人生最高の幸せだったけど、あれは自らしみじみ味わってたなぁ」

娘「わたしも、おいしいものを食べてるときに幸せを感じるのは、そのことを味わっているときだと思う。好きな人といっしょにいるときも」

父「いいね。幸せとは何か、言葉にできそうな気がしてきたね」

娘「味わって、満たされている、って感じはあるよね」

父「いいね。いい言葉だと思う」

娘「満たされていることの味わいとか？」

父「おお、いいと思う！〝幸せとは、満たされていることの味わいである〟！」

娘「うん、いいね！」

第2話　人間の「愚かさ」について

ある夜、娘がもってきたテーマは「愚かさとは何か？」でした。

父「えっ、なんでこのテーマ？」
娘「人間って、愚かだからさ」
父「お、おお、そうか……」
娘「いつものように、いくつか事例をあげていくね。まず、人を見下している人は、愚かだなって思う」
父「うん、たしかに」
娘「相手のことをよく知りもしないで批判する人も、愚かだなって思う」

父「なるほどね。自分を棚に上げて人を断罪してばかりいる人は、たしかに愚かだと思うね」

娘「ダンザイ？」

父「断るに罪、と書いて、断罪。人の罪をいい立てて裁こうとすることだね」

娘「ふぅん。あと、パパみたいに、お酒飲むのをやめられない人」

父「うんうん、わかっちゃいるけどやめられない人ね」

娘「ねぇ、ソクラテスが『無知の知』っていったじゃない？　あれ、なんだったっけ？」

父「ソクラテスの友人が、あるとき、デルフォイというところにあるアポロン神殿に行って、ソクラテス以上の賢者はいるかとたずねたんだよ。そしたら、神託を授かる巫女が、ソクラテス以上の賢者はいないと答えたんだね」

娘「ああ、それそれ」

父「これに驚いたソクラテスは、そんなはずはないと、国中の賢者たちのもとを訪れ対話することにしたんだけど……あるとき彼は、気づいてしまうわけ。どの賢者たちも、自分が何でも知っているかのように振る舞っているけど、じっさいは、徳とは何かとか、正義とは何かとか、そういった本質的な事柄について、じつは全然知らないんだって。しかも、そんなふうに自分が何も知らないということにさえ、彼らは気づいていない。その意味では、自分は少なくとも、自分自身が無知であることを知っている……。そうソクラテスは考えたんだね。これが『無知の知』。実際は、『不知の自覚』と訳したほうが正確みたいなんだけど」

娘「ねえ、愚かさってさ、考えてみたら『無知の無知』なんじゃないの？」

父「どういうこと？」

娘「人を見下したり断罪したりする人が愚かなのは、ほんとうはそんな自分こそ、情けない人間だってことに気づいてないからじゃない？」

父「おお、なるほど。でも……わかっちゃいるのにやめられないのはどうだろう？」

娘「パパが愚かなのは、自分に自制心がないってことに無知なところなのよ」

父「……」

第3話　究極のテーマ「人間」とは何か？

ある夜のテーマは、なんと「人間とは何か？」。

父「ええっ、なんでそんなむずかしいテーマを考えたいの？」

娘「わたしにもいろいろあるのよ」

父「そ、そうか……うん」

娘「思春期なの。思春期って、人間について考えたくなるの」

父「そうだね、うん。パパもそうだった。よし、じゃあ、われわれは何をもって人間を人間と確信するのか、その本質を考えていこうか」

娘「やっぱり、まずは感情があることじゃない？」

父「なるほど」

娘「あ、でも、動物にも感情はあるよね」

父「人間ほど細やかではないんじゃないかな、たぶん」

娘「そうね。〝悲しい〟にも、やるせない悲しさとか、くやしい悲しさとか、いろいろあるもんね。動物はそこまでは感じない気がするね」

父「そうだね。動物じゃないからわからないけど、そんな気はするよね」

娘「じゃあ、細やかな感情。これは人間の一つの本質といえるかな」

父「うん、いえてると思う」

娘「あとはやっぱり、言葉よね」

父「たしかに」

娘「あ、でも、テレビでプレーリードッグも言葉をもってるっていってたなぁ」

父「でも人間の言葉ははるかに高度だよね」

娘「いいねいいね。高度な言葉」

父　「あとさ、もし、人間そっくりのAIロボットがいたとして、でもこれはやっぱり人間じゃないなと思うとしたら、そのちがいは何だと思う？」

娘　「そうね。体の感じとか、皮膚の温かさとか？」

父　「この人はたしかに自分と同じような身体をもっているなっていう感覚、かな。それがないと、最後の最後で人間かどうか疑わしく思いそうだよね」

娘　「そうね」

父　「〝わたしとの身体同型性〟と名づけてみようか」

娘　「何それ、カッコいい」

父　「人間とは何か。けっこういいセン行ったんじゃない？」

娘　「でもさぁ、感情と言葉と身体の同型性って、人間の本質っていうより、いくつもある特徴の一つなんじゃないの？　なんかズバリって感じがしないのよね」

父　「なるほど、言われてみればそんな気もする。じゃあ、もっとズバリな本質、言葉にできそう？」

娘「感情があるから、人は人を思いやれると思うのよ。で、その思いやりを言葉で表現し合えるのが人間だと思うのよ」

父「おお、なんかすごいことをいったような気がする。感情と言葉を結びつけたね」

娘「ただ感情のままに生きてるだけだと、人間らしいって感じはしないよね」

父「なるほど、感情を言葉で表現しあうことができるんだね、人間は。そうやって、ともに生きている……。動物とはちょっとちがうところかもね」

娘「ともに生きてるって、なんかいいね。それは人間って感じがする」

父「人間とは、感情を言葉で交換し合いながら、ともに生きることをめがける存在である」

娘「いいね！　でもそう聞くと、感情だけじゃなくて考えも言葉で交換してるから……。人間とは、感情や考えを言葉で交換し合いながら、ともに生きることをめがける存在である、とかは？」

父「おお、いいね！」

娘「人間って、感情や考えをめぐって争いあうこともあるけど、言葉を通して理解しあうこともできるんだよね。そうやって、ともに生きていくのが人間」

父「味わい深い言葉だなあ」

娘「あ、でも待って。赤ちゃんとか障がいのある人は、言葉を使わないこともあるね」

父「た、たしかに。大事なことに気づいたね。本質観取は、本質という以上、やっぱり例外があっちゃいけないからね。これはまたやり直しだなぁ。でももう時間も遅くなっちゃったし……」

娘「う〜ん、最後までやり切りたかったなぁ」

父「パパも今晩は眠れなさそうだ」

娘「でも、人間の本質には、なんかちょっとせまれた気がするね！」

第4話　よい政治とは？

　夕食のときでした。長女が突然、「わたしはいま、政治に怒っている」といい出したのです。

「どうしたどうした？」

　とわたし。

「うん、ちょっとね」と娘は答えます。「あのさあパパ、今日は政治についてちょっと教えてくれない？」

「いいよ。政治の何について知りたいの？」

「よい政治とは何かの本質観取がしたい。でもその前に、哲学ではどんなことがいわれているのか知りたい」

「オッケー。じゃあ今日はパパのミニレクチャーでもしようか」
こうしてこの夜は、いつもの本質観取ではなく、ちょっとした政治哲学講義がはじまったのでした。

父「まずは、一七世紀イングランドの哲学者、トマス・ホッブズの話からはじめようか。人間は、統治状態になければ必ず『万人の万人に対する戦争』を起こしてしまう。これがホッブズの考えの出発点だった」

娘「統治状態?」

父「いまの日本は、ちゃんと法律があって、警察もいて、治安が守られているでしょ? そういう状態のこと」

娘「ああ、わかった」

父「そういう統治状態がなければ、怖くてたまらないよね。たとえばパパがRNちゃん(長女)を連れて道を歩いているとき、向こうから何か武器みたいなのをもってやってくる人がいたとするよね。もしかしたら襲われるかもしれない。逃げるのもむずかしそうだ。だったら、やられる前にやるしかないと思うかもしれない。これが『万人の万人に対する戦争』の状態」。

娘「あ～わかる」

父「もうちょっというと、この不安が人間たちを団結させることになるんだけど、今度はこの団結した人間たちが、集団同士の戦争を起こすことになるんだね」

娘「やりきれないね」

父「このおそろしい戦争状態を終わらせるためには、考え方は一つしかないとホッブズはいうんだよ」

娘「どんな？」

父「みんなの合意によって王を決め、みんながその王様に従うこと」

娘「すご～い」

父「でも問題がある。たしかにそれで戦いはなくなるかもしれない。でも結局、人びとは王様に支配されて不自由な暮らしをすることになってしまうよね」

娘「たしかに」

父「そこで登場したのが、ジャン＝ジャック・ルソーだった。ルソーはこういったんだよ。なんでもかんでも王様に従うんじゃなくて、自分たちの社会は自分たちでつくろうって。これがいまの民主主義社会につながることになる」

娘「ルソーはパパが大好きな哲学者ね」

父「そう。大変態だけど、大天才」

娘「哲学者には変人が多いね」

父「自分たちの社会は、自分たちでつくる。とはいえ、この社会は運営者が必要だよね。法律をつくる人、国の運営をする人、裁判をする人」

娘「警察とかも」

父「そう。で、そういう人たちは絶大な力を握ることになるでしょ？　警察だって、下手をしたら、気に食わない人を次々と逮捕してしまえるかもしれない」

娘「うん」

父「じゃあ、そんな権力とか、法律とか、そういったものはどうあればいいか。ルソーはこれに答えたんだよ。それが『一般意志』というじつに見事な答えだった」

娘「一般意志？」

父「簡単にいうと、みんなの意志をもちよって見出しあった、みんなの利益になる合意のこと。この社会は、みんなの利益になる合意だけに基づいて運営されなければならない。そうルソーはいったんだね。これが民主主義の大原則」

娘「でも、それって現実には無理じゃない？」

父「RNちゃんは、よい政治ってどんな政治か知りたいんでしょ？　その答え、一般意志のほかにありうると思う？　王様とか、大金もちとか、だれか特定の人だけに都合のいい法律とか政治って、やっぱりダメだと思わない？」

娘「たしかに」

父「だから政治家は、自分たちがやろうとしていることが、すべての人の利益になるかどうかだけを考えないといけない。もちろん、その合意を見つけ出すのはとてもむずかしい。でも、そこをめざしつづける政治だけが、よい政治っていえるんじゃない？」

娘「納得」

父「よい政治の根拠は『一般意志』のみにある。これはきっと、これからも変わらない本質だとパパは思う」

娘「うん、納得。よい政治の本質、わかっちゃったね」

ちなみに、今回の講義で娘が一番気に入った言葉は〝公僕〟でした。

父「政治家も役人も、社会のみんなのために働く人なんだよ。まさに、だれか特定の人のためにではなく、みんなの利益のために働くってことね。それが公僕」

娘「そっか、そうだったのか！　なんかわたし、なんでいまこんなに政治に怒ってるのか、よくわかった気がするわ」

第5話 「存在とは何か？」にせまる

「わたしねぇ、存在とは何かって考えてみたいのよ」

ある晩、娘がそういってきました。

「ええっ、これはまた超難問をもってきたね」

「でしょ、えへ」

しかしこのテーマ、まさに哲学史上の難問中の難問です。そして通常の本質観取とも、少し次元の異なるテーマです。

というのも、「幸せ」や「人間」であれば、わたしたちはその名でいい表しているとことがらをある程度イメージできるのに対して、「存在」はそのようなイメージが容易にはできない概念だからです。

小5にもなると、そんなことを考えるようになるもんなんだなと感心していましたが、じつはその数年後、次女が小2になったときにも、同じように「存在とは何か」を本質観取したいといってきたことがありました。

幼い子どもも、というより、幼い子どもこそ、ふだん何気なく使いながらもその意味することがよくわからない言葉の正体を知りたいと思うものなのかもしれません。わたし自身にとっても、これはちょっとした発見でした。

ちなみに、「存在とは何か？」という問いについては、マルティン・ハイデガーという二〇世紀の哲学者が、『存在と時間』という有名な本の中で取り組んでいます。

でも、この本ではその予備的な考察が行われただけで、結局、結論には達せず未完に終わりました。

かくも難解な「存在」の本質観取、5年生の子どもと一緒に、はたしてどこまでできるでしょうか……。

娘「目の前に、本が存在している、コップが存在している、パパが存在している、わたしが存在している。存在って、そんなふうに使う言葉だよね」

父「うん、そうだね」

娘「でもさ、そういえば、見えるものだけじゃなくて、気もちとか、見えないものも存在するっていうよね？　愛が存在する、とか」

父「おお、たしかに」

娘「それがおもしろいと思う。存在って、目に見えるものだけじゃないんだよね」

父「なるほど。不思議といえば不思議だね。目には見えない、さわることもできない。でも、存在する。それっていったい、どういうことなんだろう？」

娘「悲しい気もちが存在するとか、神さまが存在するとか、こんな考えが存在するとか……」

父「いや〜むずかしい。存在はやっぱり哲学の最難問だ」

娘「待って。でもさ、いま、全部言葉にしたよね？　人間は存在するとか、愛が存在するとか、思考が存在するとか」

父　「お、おお。おお？」

娘　「言葉になっているものは、全部『存在する』っていうよね？　神さまが存在する、コップが存在する、気もちが存在する、わたしが存在する……。どれも言葉でいい表せるものじゃない？」

父　「おお、なるほど！」

娘　「そうか！　存在とは、〝言葉になるすべてのもの〟のことなんじゃない？」

父　「おおお！」

COLUMN

「親子で哲学対話」のはじめ方

本書を読んで、「親子で哲学対話」をやってみたいと思ってくださった方のために、本コラムではちょっとしたティップスをお伝えしたいと思います。

まず、家庭での対話のきっかけには、いろんなパターンがあるかと思います。

「ねえ、友だちって何だと思う?」とか、「なんで勉強なんかしなきゃいけないの？」といった問いを、子どもから投げかけてくれるなんてことは、きっとどんな家庭でもあるはずです。

これらはもう、すでに立派な哲学的問いです。

そんなときに、本書のことを思い出し、「親子で哲学対話」をさりげなくはじめてみる、なんていうことが、もしもできたらとてもすてきなことではないかと思います。

あるいは、この本を親子で読んで、「うちでもやってみようか」というきっかけをつくっていただくのもいいかもしれません。

いずれにしても、お互いがやりたくなったときに、気軽にやってみる。当然ですが、無理やりさせるなんてことはしない。それが、「親子で哲学対話」をするときに大事な姿勢だろうと思います。

その意味では、この哲学対話の〝効果〟みたいなものも、あまり求めすぎないのも大事かと思います。思考力や言語力を育てたい、とか、わが子をかしこくしたい、とか思いすぎると、親がそっちに引きずられてしまって、お互いに対話を楽しめなくなってしまうかもしれないからです。

沈黙も、けっして悪いことではありません。むしろ、沈黙は考えをじっくり深める大事な時間です。言葉は出てこなくても、頭はフル回転しているという場合だって多々あります。だから、「ほら、ちゃんとしゃべって」なんてことは、あまりいわないほうがいいでしょう。

個人的には、娘とベッドの上で、横になりながら対話をしたのも、いまふり返ってみるととてもよかったなと思っています。学校などで本質観取をするときは、みんなでサークルになってやることも多いのですが、それよりもっと、ずっと、リラックスした雰囲気で対話ができたように感じています。

まずは、楽しむ。そのことを第一に、ぜひ、ご家庭や学校などで、子どもたちとの哲学対話にトライしていただけるとうれしく思います。

ちなみに、わたしの経験では、この「楽しむ」にもいくつかのフェーズがあるようです。

まずは、ただただ言葉を交わすことが楽しいというフェーズ。

親にとっては、こんなふうに子どもの深い話が聞けるのはうれしいことですし、子どもにとっても、ふだんあまり話をしないようなことについて話ができるのは、純粋に楽しいことです。

でもだんだんと、思考を深めたり、言葉を磨いたりすること自体が楽しくなるフェーズがやってきます。

その過程では、考えが行きづまったり、うまく言葉が見つからなかっ

たりすることも起こります。

でもそうすると、今度はそれを乗り越えてやろうという気もちが生まれる。そしてそのチャレンジ自体が、楽しくなってくる。知的好奇心や、知的探究心が満たされる楽しさといえるでしょうか。

世の中にはこんな楽しさがあるんだなぁ。

そんなことを親子でいっしょに味わえるのも、「親子で哲学対話」の一つの醍醐味なのではないかと思います。

第6話　神さまの神さまはだれ？

寒い冬の夜のことでした。

夕食後、次女（当時五歳）がいってきました。

「ねぇパパ、わたしも本質観取（ほんしつかんしゅ）やりたい」

長女が答えていいます。

「これはわたしとパパの時間なんだからね」

「え〜でもわたしもやりたい」

「仕方ないなぁ、今日はＲＹちゃんにゆずってあげる」

パパの取り合いをする娘たちに機嫌をよくしながら、わたしも答えます。

「オッケー。じゃあ今日はRYちゃんと本質観取しようか。いまやる？」
「うん」
「よし。じゃあ何か話したいテーマはあるかな？」

その後の次女との対話は、思いがけず、いかにも哲学的な、とても興味深い内容になりました。

次女「あのね、この前ね、幼稚園でクリスマスの絵本の読み聞かせがあったの。『世界がまだなかったころ……』って」
父「うん、神様が『光あれ』といって世界ができたんだよね」
次女「でもさ、世界がまだなかったのに、なんでそれを世界って呼ぶのよ」
父「ん？」
次女「世界がなかったんだったら、セ・カ・イ、って言葉もなかったでしょ？」
父「おお」

次女「あと～、なんで『何もない』から世界が生まれたの？　何もなかったなら何も生まれないでしょ？」

父「おお、なんておもしろい話なんだ。ＲＹちゃん、そういうのを、哲学では形而上学的問いっていうんだよ」

わたしたちの経験的世界を超えた世界の問い。それを形而上学的問いといいます。

英語では、メタフィジックス。物理の世界（フィジックス）を超えた（メタ）世界の問いです。

と、ここで長女が割り込んで、得意気味に、

長女「ＲＹちゃん、人間は形而上学的問いには答えられないのよ」

父「そう、一八世紀の哲学者、イマヌエル・カントがそのことを証明したんだね」

長女「そうそう、カント」
父「世界にはじまりはあるかとか、神さまはいるかとか、そういった形而上学的問いには、人間の理性はけっして答えられないんだね」

うんと簡単にいうと、たとえば宇宙はビッグバンで誕生した、といわれても、わたしたちは必ず、「え、でもその前は何があったの？」と考えてしまいます。いまはビッグバンの前にインフレーションという現象があったといわれていますが、それでもわたしたちは、「えっ、でもその前は？」と考えてしまいます。
こうしてわたしたちの思考は、終わるところを知りません。
つまり、わたしたちが思考する力、つまり理性をもっている以上、形而上学的問いにはけっして答えることができないのです。

次女は長女とわたしのいっていることの意味がわからないようでしたが、つづけた言葉はちゃんと文脈に沿ったものでした。

次女「だいたいね、神さまをつくったのはだれなの？　それで、その神さまの神さまをつくったのはだれなの？」
父「そうそう、それが形而上学的……」
次女「だーかーらー、神さまの神さまはだれなの？」
父「それに答えは出せないんだけど……」
次女「でも神さまはいるでしょ。やっぱり神さまはいる」

と、こんなふうに対話はつづき、どこかに着地したわけではなかったのですが、個人的にとてもおもしろかったのは、五歳にもなると、人は〝形而上学的問い〟に目覚めるのだということでした。
哲学徒としても、とても貴重な発見をさせてもらった、楽しい時間でした。

神様の
神様は
だれなの？
かみさま

第7話　「信頼」って、なんだろう？

たまにはうまくいかなかったときの話も、ご紹介したいと思います。
長女がある晩もってきたテーマは、「信頼とは何か？」でした。
これまで、「人間」とか「存在」とか、ずいぶんむずかしい概念の本質観取（ほんしつかんしゅ）をしてきたので、比較的簡単なテーマのように思われたのですが……。

父　「じゃあいつものように、信頼の具体的事例をあげていこうか。そこから、すべての事例に共通するキーワードを見つけていこう」

娘　「なんか事例があんまり思い浮かばないんだけど……信頼って、好き嫌いと関係すると思うの。自分が好きな人は信頼できるけど、嫌いな人は信頼できないでしょ？」

父「なるほど。でも、好きだけど信頼できない、ってことはない？」

娘「う〜ん、言われてみれば。ＲＹちゃん（妹）のことは好きだけど、わんぱくで力の加減を知らないから、一緒に遊んでるとき、ケガさせられるんじゃないかと心配になっちゃう。そういうところは信頼できないかな（笑）」

父「逆に、嫌いな人でも能力は信頼できる、みたいなこともあるよね」

娘「でも、わたしのことを嫌ってるなって思う人は信頼できない。何かされるかもって」

父「なるほど。それで何となく思ったのは、信頼って、人間まるごとへの信頼と、能力などへの部分的な信頼と、二種類ある気がするな。能力は信頼できるけど、人間は信頼できないってことはあるよね。あ、それって、信用と信頼のちがいなのかな」

娘「たしかに。信頼より信用のほうが部分的な気がするね。あと、信頼は、

父　信用より、何ていうか意志してるって感じがする」

娘　「なるほど。信頼しよう、って？」

父　「それに対して、信用って、過去の実績とかを根拠にしてる感じがする」

娘　「いいね。いい本質観取になってきた気がする。信頼は未来に向かう意志で、信用の根拠は過去にある」

父　「うん。でも……。あのさ、本質観取って、できるだけ事例をあげなきゃ共通の本質が見えてこないじゃない？」

娘　「そうだね」

父　「でも、今回はわたし、なぜか全然事例が思い浮かばないの。だれかを信頼している事例も、だれかから信頼されている事例も」

娘　「そう？」

父　「信頼について、いまは好き嫌いとの関係でしか考えられない」

娘　「そっか。そんなふうに思考が固まっちゃうときもあるよ。そういえば、そもそもなんで信頼の本質観取をやりたいと思ったの？」

娘「信頼できる友だちってどういう友だちなのかなって……。まあいいや、
今回はちょっと無理」

学校で何かあったのかな。あったんだろうな。そう思いながら、この日の対話はここでストップ。

ちなみに、このあと別のところで別の人たちと「信頼」の本質観取をやったのですが、そこでは次のような言葉が編み上げられました。

信頼とは、自分をゆだね、任せようとする意志である。

それはいわば、未来への〝賭け〟のような性質をもったもの。

それに対して「信用」は、未来に向かうというより、やっぱり過去の実績から得られるもの。

どうでしょうか？

第8話　道徳の授業で考える「思いやり」

大学で、「道徳教育の理論と実践」という授業を担当しています。

その中で、毎年、学生たちに本質観取を体験してもらっています。

受講者は、みんな教員免許を取得する学生たちです。小中学校の道徳の授業で、ぜひ本質観取を実践できるようになってもらいたい。そう願って、みんなに本質観取を体験してもらっています。

二〇二〇年、新型コロナウィルスの流行のために、ｚｏｏｍによるオンライン授業が続いていた頃のことです。

ちょうど、全国の学校が一斉休校になっていたときのことでした。

家で暇をもてあましていた次女（当時小1）が、本質観取をやるならわたしも参加したいといってきたのです。

長女と三人で、時折本質観取を楽しんでいた次女は、自分が大学生のお兄ちゃんお姉ちゃんに本質観取を教えてあげるといわんばかりにはりきっています。

それもおもしろそうだなと思って、授業がはじまると、わたしは次女と一緒に画面の前に座りました。

最初は少し驚いていた学生たちでしたが、事情を知ると、画面の向こうで拍手で娘を迎えてくれました。

こうして、次女とわたしの本質観取がはじまりました。はじめて本質観取に触れる学生たちの前での、一種のデモンストレーションです。

テーマは、道徳の教科書にもある「思いやり」とは何か。

まず娘にたずねます。

父　「思いやりにはどんな事例があると思う？」

次女「恐竜図鑑を貸してっていってきたお友だちに貸してあげるときとかー、学校をお休みした子の家に宿題をもっていってあげるときとか。あと、電車でお年よりに席をゆずるのもそうね」

父「なるほど、たしかに全部思いやりといえそうだね。これら全部に共通する本質ってありそうかな？」

次女「やっぱり〝やさしさ〟じゃない？」

父「たしかに。でも、〝やさしさ〟は〝やさしさ〟でも、思いやりって言葉があるからには、ただの〝やさしさ〟とはちがう気がするけどどう思う？」

次女「あのね、思いやりの〝やさしさ〟は、こっちがちょっと『うっ』となるやさしさなのよ」

父「うっとなる？」

次女「恐竜図鑑貸してっていわれたら、ちょっと『うっ』ってなるでしょ？ほんとはちょっとイヤなんだけど、でも、まいっか、貸してあげる、っ

見ーせーてー
恐竜
図鑑!
存在した恐竜たち
ダイナソー

ていうのが、思いやりなのよ」

父「なるほど、いえてる気がする」

次女「お休みした子の家に宿題のプリントをもって行くのも、やっぱりちょっとめんどくさいでしょ？　でも、もって行くの。それが思いやりじゃない？」

父「なるほどー。お年よりに席をゆずるときも、どうしようかなーこっちもしんどいしなー、でも、うん、ゆずろう、みたいなところがあるかもね」

というわけで、思いやりとは「うっ」となるやさしさである、というのが、次女とわたしの出した答えになりました。

つづけて、学生たちがグループに分かれて、改めて「やさしさ」の本質観取に挑戦しました。一三〇人もいる授業なので、グループ対話と全体対話を交えながら進めます。

最後の全体対話で導かれた思いやりの本質は、次のようになりました。

「思いやりとは、共感的理解に基づく自発的な利他性である」。

ちょっとむずかしい言葉になりましたが、いえているかどうか、読者のみなさんにもぜひ吟味いただければと思います。

「うっ」となるやさしさ、というより、むしろ、思いやりの底には共感的な理解があるのではないか。それが学生たちの発見でした。だからこそ、わたしたちは自発的な利他性を発揮しようと思うのではないか。そんな行為を、わたしたちは思いやりのある行いと呼ぶのではないか。そんな議論が交わされました。

「うっ」となるやさしさも悪くないですが、「共感的理解に基づく自発的な利他性」も、言葉はむずかしいですが、いいセン行っているのではないかと思います。

大学生からは、小学生が哲学対話なんてできるんですかとよく聞かれます。

でも、小1でもけっこうできることを、このとき、感じてもらえたのではないかと思っています。

第9話　希望は、光

年末のことでした。次女（当時小1）が突然、「来年は希望の年になるといいね。希望っていうのは、苦しいときにわたしたちを支えてくれる光なのよ」などと、何やら詩的なことをいってきました。

それを聞いた長女とわたしは、コロナ禍の一年をふり返りながら、今度の本質観取のテーマは「希望」だねといい合いました。

いつもは寝る前にベッドで行う哲学対話ですが、今回は熊本城の二の丸公園を散歩しながら。

いつものように、いろんな事例をあげるところから対話がはじまりました。

娘「全然勉強ができない自分が、いい先生に出会って勉強ができるようになるかも、って希望をもつとか。崖から落ちそうな人が、足場になりそうなところを見つけて希望が見つかるとか……」

父「ふむふむ」

娘「あと、病気で助からないと思われていた人が、新しい薬ができて希望がもてたり」

父「いいね。それら全部に共通する本質ってある？」

娘「絶望とまではいわないけど、抜け出したいっていうのかな。閉じられた扉を開きたいっていうのかな。そんな感じじゃない？」

父「なるほど。ほんとうにそういえるか、たしかめていこう。別にそこから抜け出したいわけじゃないけど、希望って言葉を使う場合はない？扉を開きたいわけじゃないけど、希望って言葉を使う場合って、ない？」

娘「う～ん」

二人「……ないね！」

娘「この抜け出すことの〝可能性〟を、希望っていうんじゃない？」

父「たしかに。希望とは、そこから抜け出すことが叶う／叶うかもしれない可能性である。そんな感じかな？」

娘「いいと思う。きっと叶う、というだけじゃなくて、叶うかもしれないっていう場合もあるよね」

父「希望には、淡い希望からたしかな希望まで、グラデーションがあるんだね」

娘「うん、たしかにグラデーションはあるんだけど、でも希望って、ある程度はっきりしたものだと思う」

父「そう？」

娘「抜け出したい、という願いがある以上、何の希望かははっきりしてるんじゃない？　可能性って言葉はどこかぼんやりしてるけど、希望は方向性のある可能性といえそうだね」

父「方向性のはっきりした可能性かぁ。いえてる気がするね」

娘　「だからＲＹちゃん（次女）がいうように、希望は光なんだね。ちょっと開いた扉の隙間から差し込む光なんだね」

第10話　ファッションと校則

長らくファッションに興味をもっている長女。

なぜファッションが好きなの？　とわたしが聞いたことから、今回の哲学対話ははじまりました。

いつもの本質観取（ほんしつかんしゅ）とは少し趣がちがいますが、おもしろい話に展開したので、ちょっとご紹介してみたいと思います。

娘「かわいい服を着たりアイデアを考えたりすると、ワクワクするでしょ？」

父「なんでワクワクするの？」

娘「なりたい自分の姿ってあるでしょ？　ファッションは、それを叶えてくれ

おしゃれした方が
勉強はかどる！
いってきまーす

るから。こんな服を着たらなりたい自分になれるかな、こんな感じで着こなしたら、新しい自分を発見できるかな、って」

父「なるほどね。わかる気がする」

娘「あと、わたしは環境と政治にも興味があるでしょ？　ファッションは、環境問題とか政治問題とかを解決する力ももってると思うのよ」

父「どういうこと？」

娘「モデルのローラは、リサイクルできる生地を開発したりして、環境にやさしいファッションブランドをつくってるの。カッコいい。政治に興味のない若い人も、ファッションの力で政治の重要性に気づいたりするでしょ？」

父「へえ、ファッションはそんな力ももっているんだね。でもRNちゃん、それじゃあ学校におしゃれしていけないのは、ちょっと悲しいんじゃない？」

娘「ほんとよ。わたし、かわいい服着てたらテンション上がるから勉強もはかどるのに！」

父　「学校はおしゃれするところじゃない、勉強するところだって、よくいわれるけど……」

娘　「意味わかんない。逆よ、逆。そのほうが勉強がはかどるんだから」

父　「たしかに、そういうところもあるよね、きっと」

娘　「校則はもっと見直すべきだと思う」

父　「じつはいま、全国的に校則の見直しが進んでるんだよ。その際、大人が一方的に決めるんじゃなくて、子どもたちもみんなで対話して決めていこうってことになってる」

娘　「当たり前よ。ちゃんと学校でも本質観取をやって、子どもがどれくらいものを深く考えてるか、大人は知ったほうがいいわ！」

父　「な、なんかたまってるな……」

第11話　「愛」について

「あのね、いま気になってることがあるんだけどね」との娘の言葉から、今回の親子で哲学対話ははじまりました。「好きな人と、とくに好きじゃない人と、嫌いな人って、何がちがうんだと思う？」

「それはおもしろい問いだね」とわたし。「それ、本質観取（ほんしつかんしゅ）してみようか。でも、そもそもなんでそんなことを考えたの？」

「わたしのことを嫌いな人でも、わたしが好きな場合ってあるでしょ。それって不思議じゃない？」

ふむふむ、これはまた学校で何かあったな、と思いながら、わたしは答えます。

「今日のテーマは〝好き〟とは何かに決まりだね。その前に、まずは寝る準備をしようか」

お風呂に入って、パジャマを着て、歯を磨いて、ベッドに入ります。

父「よし、じゃあまずは〝好き〟の具体例をあげてみようか。RNちゃんは、どうしてパパのことが好きなのかな？」

娘「うん、なんでママのことが好きかっていうと……」

父「うん、そうじゃなくてパ……」

娘「ママは、わたしのことをすごく理解してくれてる」

父「うん、それでパ……」

娘「あと、ママはおもしろい」

父「うん、それでパ……。いや、もうええわ。いまの話を聞いてると、〝好き〟ってちょっとエゴイスティックな感情な気もするね」

娘「エゴイスティックって？」

父「自分中心って感じ。結局、だれかのことが好きっていうのは、自分のエゴイスティックな欲望を満たしてくれる人が好きってことなんじゃない？」

娘「そっか。じゃあ〝嫌い〟は……自分の欲望を害する人が嫌いってことだね。別に好きでも嫌いでもない人は、自分の欲望にとってどうでもいい人……(笑)」

父「いえてると思う」

娘「でも、わたしは別にエゴイスティックな感じでママが好きってわけじゃないと思う」

父「そっか。うん、それはそうだよね」

娘「感謝とかあるもん」

父「なるほど。感謝か。うん、そういうのが、もしかしたら愛なのかもしれないね。愛はやっぱり、エゴイズムを超えていくところにあるものといえるかな」

娘「でもそれなら、わたしのことを嫌ってる人をわたしが好きなのも、愛ってことなのかな。そんな人を〝好き〟ってヘンじゃん」

父「愛の場合もあるかもね。愛がエゴイズムを超えるものなら、自分を嫌いな人を愛することもできるよね」

娘「うん」

父「でも、たとえ自分は嫌われていても、相手はこっちの何らかの欲望を満たしてくれるなら、好きになれる場合もあるかもよ」

娘「う～ん、たしかにね。わたしのはどっちなんだろうな～」

父（思春期だな、娘よ。いまをめいっぱい楽しんでおくれ。）

時間が来たので、今回は、以上のようなちょっととりとめのない会話で終了しました。「好き」の本質も「愛」の本質も、特に言葉になることはありませんでしたが、それはそれで、わたしにはとても楽しい時間でした。

COLUMN

2

「不登校」について思うこと

長女が本質観取(ほんしつかんしゅ)をはじめて知ったのは、わたしの大学のゼミに連れていったときのことでした。

小学校3年生で(一時)学校をやめた娘でしたが、それからの彼女は、毎日、少しさびしそうでした。

平日の昼間にいっしょに町を歩いていると、近所の人は悪気なく「あら、今日学校は?」とたずねてきます。そのたびに、娘は苦笑いをしてやり過ごしていました。

友だちとも、どうしても疎遠になってしまいます。

そこでわたしは、思い立って、ある日大学に連れて行ってみたのです。

大学生のお兄ちゃん、お姉ちゃんができるといいなと考えて。

ゼミの学生たちは、あっという間に、娘と仲よくなってくれました。授業の合間に、グラウンドでキャッチボールをしたり、水風船で遊んだり、勉強を教えたりしてくれました。

さすがは教育学部生。子どもとのコミュニケーションが、ほんとうにうまい。わたしは感嘆しました。

娘も、やさしくフラットに接してくれるお兄ちゃん、お姉ちゃんたちを、あっという間に好きになりました。

教育学部の同じ講座の先生も、娘のために本を貸してくれたり、話し相手になったりしてくれました。技術科のおじいさん先生は、手づくりのおもちゃをくださり、理科の先生は、実験を見せてくれたりしました。

すてきだなと思ったのは、こうした先生方は、さすがは教育の専門家で、「あれ、学校はどうしたの？」などとは聞かれないのです。娘の気もちに寄り添ってくれる温かな人たちに囲まれ、娘はとても居心地のいい日々を過ごしていただろうと思います。

いつしか、いっしょにキャンパスを歩いていると、娘は会う人、会う人に、「よっ」などと手をあげてあいさつするようになりました。

「えっ、知り合い？」

と聞くと、

「うん、よく遊んでる子。文学部」

などと答えます。

なんと、文学部にまで友だちができたのか、と驚くとともに、とてもうれしい気もちになったのをよく覚えています。

ゼミでは、当時もいまも、しょっちゅう本質観取をしています。娘は、ここではじめて、本質観取を体験しました。

じつはわたしのゼミには、当時から、それこそ不登校の中高生などもしばしば参加していました。哲学に興味があって、そのために周囲や先生とも話があわず孤立していた中学生や、小学校の頃から学校に疑問があり、新しい学校をつくりたいという夢をもつ高校生など、個性的な生徒たちが、この本質観取の対話によく加わっていました。

こうした子どもたちにとって、学校外に居場所があるというのは、とても大事なことだと思います。大学は、もっともっと、そんな多様な子どもたちの居場所になっていくことができるはず。そう考えたりもしています。

ところで、これまで無頓着にも、不登校、不登校、といってきましたが、じつは娘は、不登校という言葉をとても嫌っています。

「わたしは不登校になったんじゃないの。学校を自分の意志でやめたの」

そう彼女はいいます。

不登校という言葉、その字面には、たしかにどこか否定的なニュアンスがつきまといます。いわれて嫌だという子は、きっとたくさんいるだろうと思います。これまで便宜的にこの言葉を使ってきましたが、ほんとうであれば、どう表現するのがよいかは、当事者の声を聞く必要があるだろうと思います。

親の負担についても、思うところはたくさんありました。

わたしたち夫婦も、当初思っていた以上の大変さを味わいました。一日中、子どもの面倒を見られる家庭というのは、現代の日本にはそう多くはないんじゃないかと思います。


親の孤立の問題も深刻です。

わたしには、支えてくれる多くの専門家仲間がいましたから、その点ではあまり不安はありませんでした。でも同時に、これはきわめてまれな、また幸運な例だろうと感じていました。子どもを職場（大学）に連れて行けるなんて、恵まれすぎた話です。

でも、多くの親は、子どもが不登校になったとき、だれに頼ったり相談したりすればいいかもわからないまま、途方に暮れてしまうものです。そんな保護者の方々にも、たくさん出会ってきました。

他方、親の無理解についても、ずいぶん考えさせられました。

特に地方には、学校に行かないなんてありえない、ただの甘えだ、という価値観が、まだまだ根強くあったりもします。

本来であれば、最後にして最大の味方であるはずの親が理解してくれないとなると、子どもはいったいどうすればいいのでしょう。

また、これも地方に顕著な問題ですが、学校のほかに選択肢がないというのも大きな問題です。

都市部には、フリースクールやオルタナティブスクールなどが充実していますが、地方にはそんな選択肢もないのです。たとえ少しはあったとしても、経済的に通わせることができるかはまた別問題です。

要するに、現代の日本では、「不登校」を選択できることさえ、一種の〝特権〟かもしれないのです。学校に行かないことを選びたくても選べない子が、いったいどれだけいるだろうかと思います。

この問題は、わたし自身、教育学者として、ささやかながら取り組んでいる課題の一つです。

この本は、そんなふうに、学校に行きたくない子や、すでに行かないことを選択した子ども、またその保護者の方々にも、よかったらぜひ読んでもらえるとうれしいなと思っています。

もしかしたら、何かほんの少しだけでも、役立てていただけることがあるかもしれません。あればいいなと思っています。

第12話　我思う、ゆえに我あり

事件は朝食のときに起こった。

長女（小6）「ねえパパ、パパでしょ、ソーセージ三本食べたの。一人二本っていったでしょ。わたしのが一本しか残ってないじゃない！」
父「どきっ。いやいや、パパじゃないよ。なんでパパだっていい切れるの？」
長女「RYちゃんが見たっていってるよ。ねえ、RYちゃん？」
次女（小2）「見た！　パパが三本食べた！」
父「ほお、そうなのか。でも、それは絶対にたしかといえるかな？」
次女「見たものは見たもん。白状しなさい！」

恐竜博士か警察官になることを夢見ている次女の追及は厳しい。

父「そうか、RYちゃんはパパが三本食べたのを見たのか。でも、それはほんとうにパパだったのかな？　RYちゃんが見たのは、もしかしたら夢だったんじゃないかな？　さっきまで寝ぼけてたでしょ？」

長女「何わけわからないこといってるのよ、めんどくさい哲学者め。デカルトか」

父「さあ、証明できるものならしてごらん。目撃情報も、デカルトにいわせれば絶対にたしかとはいえないのだ」

長女「それも全部夢かもしれないもんね」

父「そう。でも、それが夢かもしれないと疑っている自分自身だけは疑えない。そうデカルトはいった。それが、コギト・エルゴ・スム。すなわち、我思う、ゆえに我あり。フッサールはこのデカルトの洞察をさらに発展させて……」

長女「RYちゃんが見たという、パパがソーセージを食べた光景は夢かもしれないけど、でも、それをRYちゃんがたしかに見てしまったということは疑えない。でしょ？」

父「そう。パパがほんとうに食べたかどうかは疑える。これを現象学では〝超越〟という。他方、RYちゃんがパパが食べたのを見てしまったこと自体は疑えない。これを〝内在〟という」

と、そこに妻がやって来て、

妻「朝から何めんどくさい話してるのよ」

次女「ママ、パパがソーセージ三本食べたのよ。一人二本っていったのに！」

妻「え？　一人二本だったの？　ごめーん、それ、ママだわ〜」

長女・次女・父「えっ、えええーっ！？」

第13話　「よい行い」って、なんだろう？

長女が6年生になって、何ヵ月かたったある晩のことでした。

「ねえパパ、よい行いって、どういうことだと思う？」

と娘がたずねてきました。

「へえ、それはいいテーマだね。今日の本質観取のテーマはそれにしようか」

とわたし。

高学年になると、よい行いとは何か、よい人であるとはどういうことかといった問いに、子どもは真剣に向きあうようになるのかもしれません。

父「まずはいつものように事例をあげていこうか」

娘「悪いことをしたら認めてあやまる。ママのお手伝いをする。ボランティアをする……」

父「うん」

娘「やっぱり、人のためになる行為っていうのは、よい行い全部に共通していると思う」

父「そうだね。でも、何が人のためになるかって、人それぞれ考えがちがうんじゃやない？」

娘「たしかに。ナルシ（スト）の男子は、女子がみんな自分のことを好きだと思ってるから、なれなれしくしてくるのよね。ほんとウザいんだけど、本人は、女子をよろこばせるよい行いをしているって思ってる気がする」

父「なんちゅう例や。というか、人のことをウザいなんていってはいけません」

娘「はぁい」

父「国や時代によっても、何をよい行いとするかはちがうよね」

娘「たしかに。結局、客観的なよい行いなんてないのかな。全部、主観的？」

父「もちろん、絶対に客観的なよい行いなんてないよね。人に親切にする、ということだって、場合によってはありがた迷惑ってこともあるしね。でも、だからといって、それは全部、完全に不確かなものといってしまう必要もないんだよ。本質観取のポイントは、それぞれの主観的な確信をもちよって、共通了解を見つけ出すことだったでしょ？」

娘「そっか。そうだったね。それでいうと、まさに、自分の行為がちゃんと共通了解を得られるだろうかと考えながら行動することは、よい行いといえる気がするけどどうかな？」

父「いいね、納得。よい行いとは、その妥当性をつねに共通了解へと投げかける、人のためになる行為である。って感じかな？」

娘「うわーめっちゃ哲学っぽい。でもさぁ、人のためだけじゃなくて、動物とか、地球とか、そういうもののための行為もよい行いっていうよね？

父　あと、自分にとってのよい行いっていうのもあるんじゃない？　健康のためによい行いとか」

娘　「なるほど」

父　「よい行いとは、その妥当性をつねに共通了解へと投げかける、他者や自分のためになる行為である。なんてどう？　哲学では、他者って言葉に自分以外のすべてを含めていいんでしょ？」

父　「おお、いいんじゃないかな。ＲＮちゃんも、だんだん哲学者っぽい言葉を使うようになってきたなぁ」

第14話　「悲しい」と「くやしい」は何がちがう？

長女とは、二年にわたって「親子で哲学対話」をつづけました。

ところがその途中、じつはとんでもない事態が起こったのです。

娘が小６の、冬のことでした。

二人の対話は、寝る前に娘のベッドで寝転がりながらやることが多かったのですが……そう、そうなのです。ついにこの日がやってきてしまったのです。

「ちょっとパパ、やめて、さわらないで」

が、が、ががーん。

いや、考えてみれば、これまでずっと、ハグも嫌がらずにしてくれていたことのほうが、奇跡だったのかもしれません。

そんなわけで、その夜のテーマは決まりです。

「悲しい」とは何か？

「えーっ、なんかめんどくさい」

といわれながらも、この日は娘と夜の散歩をしながら本質観取(ほんしつかんしゅ)をすることに。

いつものように、まずは「悲しい」の事例をあげるところから対話がはじまりました。

父「RNちゃんがパパから離れていってしまうこと」
娘「はいはい。あと、だれかに裏切られたときも悲しいよね。〝悲しい〟は、期待が裏切られたときの感情っていえるんじゃない？」
父「なるほど」
娘「だから、何の期待もしていなかったら、悲しいと思うこともないと思うの」
父「でも、この前リズ（飼っていた犬）が死んじゃったとき、悲しかったよね。

それって期待と関係あるかな？　病気でもう長くないってわかってたから、長生きを期待してたわけでもないと思うんだけど」

娘「ずっといっしょにいたいと思っていた、その期待が裏切られたんだと思う」

父「なるほど、たしかに。それはいえてる」

娘「昔ね、芦田愛菜（あしだまな）ちゃんがすごいことといってたの。だれかのことを信じていたのに裏切られたとかっていうけど、それはこっちが勝手に相手の理想をつくり出して、期待していただけなんじゃないかって。だから、期待が裏切られても、ああ、それもその人なんだっていう、ゆるがない自分でありたい、って。愛菜ちゃんすごすぎるよね。哲学者だよね」

父「すごすぎる」

娘「やっぱり、〝悲しい〟の本質は、〝期待が裏切られること〟なんじゃないかな」

父「でもさ、期待が裏切られたら〝くやしい〟っていうこともあるよね？」

娘「たしかに」

父「悲しいとくやしいって、何がちがうんだろう？」

娘「う〜ん。リズが死んだときは、くやしいというよりやっぱり悲しかったよね。それって、どうしようもなかったからなんじゃないかな」

父「どういうこと？」

娘「もし、自分の力で何とかできたかもしれないのに、結局できなかったら、くやしかったと思うの。でも、どうしようもなかったから、悲しいんじゃないかな」

父「おお、いえてると思う！　〝悲しい〟とは、自分にはどうしようもないことで期待が裏切られたときの感情なんだね」

第15話　法律って、なんだろう？

歩行者信号が点滅し、いままさに赤になろうとしている瞬間でした。急いで横断歩道を渡ろうとしたわたしに、次女（小2）が後ろから大きな声で叫びました。

次女「ちょっとパパ〜！　渡っちゃダメでしょ、戻りなさい！」

警察官か恐竜博士になることを夢見ている次女は、交通ルールにきわめて厳しい。

父「え〜っ、ギリギリセーフでしょ〜？」
次女「ダメ！」
父「厳しいなあ」
次女「法律違反はダメよ」
父「はい。ごめんなさい。でもね、ＲＹちゃん。ＲＹちゃんは、法律のことをほんとうに知っているかな？」
次女「えっ？」
父「たとえば刑事訴訟法。これは、被疑者の人権を守るために、警察や検察官などを縛っている法律なんだよ」
次女「？」

そこに長女（小６）が加わって、

長女「パパ、都合が悪くなったときに、むずかしい話をしてＲＹちゃんを煙に巻くのはやめなさい」

父　「いやいや、ちょうどいい。この機会に教えてあげよう。最近の小学生は、いや大学生でさえ、憲法のことも知らないからね。憲法は、国家による国民への命令だと誤解している人だって少なくない」

長女　「知ってるわよ。憲法は、国民が国家に宛てたものなんでしょ」

父　「その通り。基本的人権の尊重をはじめ、国家権力が必ず守らなければならないことを定めたのが憲法。人類はその歴史を通して、国家権力がどれほどおそろしいものかを痛感してきたんだ。ホッブズはこれを、旧約聖書に出てくる海獣になぞらえて、リヴァイアサンと呼んだ。たとえば警察だって、その気になれば無実の人をいくらでも犯人にでっち上げることができるでしょ？」

長女　「そういえば前にもそんな話したよね」

次女　「ちょっと、警察の悪口をいうつもり？」

父　「いやいや、そうじゃなくて、憲法に守られてなければ、国民は安心できないよねって話。たとえば、憲法は拷問を禁止してるんだけど、もし警察が拷問し放題だったら、やっぱり無実の人がどんどん犯人にされてしまうかもしれないでしょ？」

次女「たしかに」

父「刑法も、たとえば裁判官が、お前は顔が気に食わないから死刑だー、みたいなことが絶対できないようにしている法律なんだよ。裁判官は、刑法に定められた刑罰以外を与えてはいけないんだ」

長女「へぇ、そうなんだ」

父「要するに、法律っていうのは、市民一人ひとりの自由を守るためにあるものなんだ。人類の英知の歴史を感じるよね」

次女「……」

父「あれ、RYちゃん、どうかした？」

次女「そんな話はどうでもいいのよ！　パパ！　信号無視は信号無視だ～逮捕～」

第16話「かわいい」って、なんだろう？

次女が小2になってからは、次女との本質観取（ほんしつかんしゅ）の時間も少しずつ増えていくようになりました。

そこで今回は、次女と「かわいい」の本質観取をしたときのお話をしたいと思います。

長女とわたしの本質観取をよく聞いているので、次女もいつしか慣れたものです。

父「じゃあ、まずは例をあげるところからはじめるよ。かわいいもの、どんなのがある？」

次女「おもち（飼っているハリネズミ）！　おめめクリクリでかわいい」
次女「おもちはかわいいよね〜。あとはどう？」
娘「かわいい服とか、人形とか、キャラクターとか。かわいい形もあるね、ハートとか」
父「たしかに。あと、かわいい声なんていい方もするね」
次女「あと、お花とか」
父「お花は、かわいいのもあるけど、〝きれい〟っていうときもあるよね？　ちがいはなんだと思う？」
次女「たしかに。かわいいときれいはちょっとちがうね。きれいはもっと大人っぽい」
父「お、いいキーワードが出たんじゃない？」
次女「ということは、かわいいは〝幼い〟ってことなのかな？」
父「なるほど〜」
次女「でも、ただ幼いだけじゃかわいくないいんじゃない？　〇〇な幼さ、っていわなきゃダメな気がする」

父「なるほど。お前まだまだ幼いな〜、成長しろよ、とかっていうもんね。比較的マイナスイメージの幼さもあるね。別にかわいいわけじゃない幼さ」

次女「うん。かわいいのは、ピュアな感じがする」

父「おっ、それ、いいんじゃない？」

次女「かわいいとは〝ピュアな幼さ〟である」

父「おお、けっこういえてる気がする。すべての例に当てはまるか考えてみようか」

次女「おもちのおめめクリクリは、ピュアな幼さって感じがする」

父「うん、おもちはそろそろ大人だけど、大人になってもピュアな幼さを感じさせるものには、かわいいっていう気がするね」

集中力が切れたのか、娘は突然話題を変えて、次女「この前、友だちに、パパとお姉ちゃんが本質観取やってるんだよって話をしたら、『何それ、食べ物？』っていわれたんだよ～」

父「ええ～何それ～、めっちゃかわいい～」

二人「あ、ピュアな幼さ！　やっぱりいえてる！」

COLUMN

本質観取を体験してみよう

本質観取(ほんしつかんしゅ)の対話は、まだ残念ながら、だれでも気軽に体験できる場が多くはありません。わたし自身は、多くの学校や企業などでしょっちゅう本質観取のワークショップをやっているのですが、全国的に見れば、体験したことのある方はまだごく少数です。そもそも本質観取なんて、聞いたことがないという方のほうが、ほとんどではないかと思います。

でも近年、ようやく、ほんの少しずつ、本質観取に注目が集まるようになってきました。特に、アンテナの高い企業や経営者、クリエイターの方々などは、いまこぞって本質観取を取り入れはじめています。

二〇二四年度から全国の小学校で使用されている道徳の教科書（光村図書）にも、本質観取が取り上げられています。「思いやりって、なんだろう」「自由って、なんだろう」といったテーマをめぐって、今後、全国の小学生が本質観取にチャレンジしていくことになります。

高校生が本質観取に取り組む、テレビ番組シリーズもできました。福井テレビが放送している「ざわザワ高校～哲学に溺れる海の教室」という番組で、現在、YouTubeでも見ることができます。

高校生が、友情とは何か、なつかしさとは何か、よいルールとは、人間とは、といったテーマをめぐって、本質観取を繰り広げています。わたしも、番組監修と、いくつかの回ではファシリテーターを務めました。とてもおもしろいので、よかったらぜひご覧いただければと思います。

本質観取についての本も、これから続々と出版される予定です。これらの本をきっかけに、本質観取が、もう少し一般の方々に知られてくれたらと願っています。

もちろん、まずは見よう見まねではじめていただいてOKです。ただ、本質観取やそのファシリテーション（進行）にはさまざまなコツがありますので、それを味わってみたいという方がいらっしゃれば、わたしが主宰している「苫野一徳オンラインゼミ」というオンラインサロ

ンもご紹介しておきたいと思います。

このゼミでは、「楽しもう！　本質観取の会」というのを隔月で開催しています。毎回、四〇～五〇人の方が参加して、本質観取を楽しんでいます。

本質観取の哲学対話は、（親子の場合は二人ですが）経験的には六～一二人くらいでやると深いところにまでたどりつきやすいように感じています。これより少ないと思考の多様性が不足し、多すぎると話が拡散してしまいやすい傾向があるようです。

そこで、このオンラインゼミでも、第1章でお話ししたステップごとに、六人前後のグループでの対話と、全体で集まってその過程をシェアしてさらに対話を深めるという時間を繰り返しています。大人数でも、さらにはオンラインでも意義深い本質観取ができる仕組みを、参加者のみなさんといっしょに工夫してつくりました。

もちろん、みなさんはじめはまったくの初心者です。でも、継続的に参加する中で、対話力や思考力が確実に育まれるのを実感しています。

ファシリテーターができるようになる方も、たくさんいらっしゃいます。そんな方が増えれば、本質観取を全国各地で体験できる機会も、きっともっと増えていってくれるにちがいないと思っています。はじめて体験する方向けグループもあり、心理的安全性のとても高い場だと思いますので、ご興味のある方がいらっしゃれば、お気軽にご参加いただければと思います。

ちなみに、このゼミには小中学生も参加してくれていて、「子ども本質観取の会」という会も定期的に開催しています。

これがもう、とにかくおもしろい。その模様は、光村図書の「道徳科通信」という雑誌に連載していて、インターネットにも公開されていますので、よかったらぜひ検索してお読みいただけるとうれしいです。

第17話　「恥ずかしい」とは何か

思春期真っ盛りの長女。

「わたし最近、いろんなことが恥ずかしく感じられるの。今日は〝恥ずかしい〟とは何かで本質観取（ほんしつかんしゅ）しない？」

「いいね」とわたし。「じゃあいつものように、〝恥ずかしい〟の事例をあげるところからはじめていこうか」

娘「目がはれてるときに学校に行くのは恥ずかしい。失敗を見られるのも恥ずかしいし、完璧じゃない自分を見られるのも恥ずかしい」

父「へえ、RNちゃんは完璧主義者なんだね。そういえば、パパも子どもの頃はそういうところあったかも。こう見られたい理想の自分っていうのがあって、それに全然およばない自分が暴露されたとき、恥ずかしいって思ってたなぁ」

娘「そうそう、満足してない自分とか、欠点とか、そういうのが恥ずかしいの」

父「そう考えると、いまは恥ずかしいと思うことがほとんどなくなったなぁ。だんだん、まあ自分はこんなものだしって思うようになったからかな」

娘「そういえば、恥ずかしいって文化によってかなりちがうよね。ハワイでは日本人も肌をかなり露出するでしょ」

父「たしかに。他の人にどう見られるかの感覚が、日本にいるときとはちがってくるんだね。そう考えると、恥ずかしいは、明らかにまず他者ありき、世間ありきの感情だね」

娘「結局、世間の人が恥ずかしいと思うことに自分が当てはまったときに恥ずかしいと思うんだと思う」

父「それは見事な洞察だね。じゃあ、RNちゃんが失敗を恥ずかしいと思うのも、世間がそれを恥ずかしいと見なすからなのかな」

父　「たぶんね。生きづらい世の中よ」

娘　「ほんとうは、子どもはどんどん失敗して、そこから成長していくべきなのにね。それが世間の当たり前だったら、ＲＮちゃんも失敗を恥ずかしいなんて思わなくてすむだろうになぁ」

父　「何を恥ずかしいと思うかは、ほんとに文化次第ね」

娘　「ものすご～く文化によるところもあれば、かなり普遍的なところもあるように思うな」

父　「そう？　たとえば？」

娘　「嘘がバレたときとかって、どの文化でもけっこう恥ずかしいんじゃないかかな」

父　「う～ん、というより、それは恥ずべきこと、なんじゃない？」

娘　「なるほど、これはまた深い話に突入しそうだね。恥ずかしいことと、恥ずべきこととは、たしかにちょっとちがうね。もっと深掘りしなきゃ！」

第18話　「恥ずかしい」とは何か2

そんなわけで、めずらしく二晩つづけて、同じテーマでの本質観取（ほんしつかんしゅ）です。一晩明けると、考えがまとまったり、ちょっと進展したりしていることもしばしばです。

父「昨日は、〝恥ずかしいこと〟と〝恥ずべきこと〟は何がちがうんだろう、という問いが出たんだけど……どう？　それについて、あれから何か考えたことある？」

娘「うん。〝恥ずかしい〟は、文化によってそう思わされるところはあるけど、あくまでも個人的な感情よね。もう一つの〝恥ずべきこと〟は、人として

あるべきことに反してるってことだと思う。だからもっと普遍的なことなんじゃないかな」

父「なるほど、いえてると思う。恥ずかしいはどちらかといえば個人的な感情。恥ずべきことは、もっと社会的なこと。うん、納得」

娘「それよりもっと疑問に思ったことがあるの。人の目とか文化に関係なく、自分のなかだけで自分のことが恥ずかしいと思うこともあるんじゃないかな？」

父「たとえば？」

娘「何か自分の深いところで、存在していることの恥ずかしさみたいなのを感じることがある」

父「……RNちゃん、何かあったらいつでも相談するんだよ」

娘「いや大丈夫だから」

父「存在していることの恥ずかしさって、なんだかハイデガーっぽいなって思った。ハイデガーは、人間はそもそも根源的な〝負い目〟をもって存在しているなんていうんだよ」

娘「マルティン・歯ぁでか〜って覚えた人ね。それ、近い感じかも」

父「ほ、ほんまか。でもパパは、このハイデガーの思想、ほんとうかなぁって思う」

娘「そうなの？」

父「だれもがほんとうにそんな〝負い目〟をもっているっていえると思う？これ、とてもキリスト教的な発想なんじゃないかなと思う。キリスト教には、人間はそもそもにおいて罪を背負った存在であるという、〝原罪〟の思想があるでしょ？」

娘「へぇ、そうなんだ」

父「でもそれ、多くの日本人にはちょっとピンとこない考えなんじゃないかな」

娘「なぁんだ、ハイデガーも結局、ヨーロッパの文化によってそう思わされちゃったのね（笑）」

第19話 「大人」とは何か？

長女が、小学校の卒業を間近にひかえたときのことでした。

その晩、娘がもってきたテーマは「大人とは何か？」。

大人になることを、ちょっとずつ意識するようになってきたのかな。そんなことを感じながら、今日も親子で哲学対話のはじまりです。

娘「人のことをちゃんと考えられる人は大人だと思う」
父「たしかに。逆に、自分のことしか考えてない人は子どもっぽいと思うよね」
娘「うん。あと、自立してる人」

父「経済的に自立していることは、たしかに大人の一つの条件かもね」

娘「どうかな。病気とかいろんな理由で経済的に自立するのがむずかしいこともあるでしょ。それでも、精神的に自立していたら大人っていいえると思う。つまり、自分をちゃんともってる人」

父「なぁるほど、いえてるね」

娘「しっかり自分をもっていて、かつ、人の立場にもなって考えたり行動したりできる人。それが大人の本質じゃない？」

父「おお、なんかそれで全部いえてる気がする。逆にいうと、この本質条件をもち合わせていない人は、四〇代でも五〇代でも、子どもっぽいなぁと思うよね」

と、そこへ次女が割り込んできて、

次女「ちょっと待って。それって、子どもは自分をもってなくて、人のこと

父　も考えられないってこと？　失礼じゃない？」
次女「い、いや、そういうわけじゃないけど……」
父　「パパたち、子どもとは何かもちゃんと考えないとダメなんじゃない？」
次女「なるほど、たしかにそのとおりだ。反対の言葉について考えるのも、本質観取（ほんしつかんしゅ）をやるときの大事なコツだね。子どもは大人の反対の言葉っていっていいかはちょっと微妙だけど、まあ対概念とはいっていいね」
長女「RYちゃんさあ、子どもでも、自分をもっていて人の立場にもなれる人は、大人っぽいって思うんじゃない？」
次女「たしかに」
長女「だから、子どもでも大人な子っているのよ」
次女「あ、そっか」
父　「それでも、もしその子がやっぱり子どもだなと思うとしたら、まずは単純に、体が未発達ってところがあるよね。あと、もしかしたら中身も、まだ未発達だなと思えるところはあるかもね。泣き虫だとか怖がりだとか。そういう場合は、どれだけ大人に見える子も、ああやっぱり子どもなんだな、かわいいな、って思うかも」

長女「未発達って言葉はなんかイヤ」

父「あ、いや、これは未だ発達の可能性があるっていう意味で……けっして悪い意味じゃないんだよ。ほら、パパなんかはもう老化する一方じゃない？」

長女「ま、いいけど。とにかく、体が未発達でも、内面が大人な子どももいれば、体が大きくても内面が子どもな大人もいるってことね。しっかり自分をもっていて、かつ、人の立場にもなって考えたり行動したりできる人。これが大人の本質っていうのは、かなりいえてると思う」

むずかしい本
もっとむずかしい本

第20話　本質を考えること

二年続いた、長女との「親子で哲学対話」。

本書では、その模様をつづった雑誌の連載をもとに、親子の対話をお伝えしてきました。

連載は、娘の小学校卒業を機に終わることになったのですが、回を重ねるごとに大きな反響をいただくようになり、終了を惜しむ声を多くの方からいただきました。「はじめに」でもいったように、多くの方から、「わが家でもはじめてみました」「本質観取をやって、子どもの問題が解決しました」といったお声がけも、たくさんいただくようになりました。

考えてみたら、親子でじっくり、「幸せ」とは何かとか、「信頼」とは何か、

「思いやり」とは何か、「大人」とは何か、といった会話をすることは、そうあることではないかもしれません。

こうした本質にせまる対話を通して、子どもがこんなに深いところまで物事を考えていたんだなと知ることは、親にとってもうれしいことです。

そんなわけで、最後に、二年間の哲学対話を通してどんな気づきがあったか、娘に聞いてみました。

娘「何事についても、本質を考えられるようになったと思う。なぜ自分は勉強するのかとか、どう生きることが自分の幸せにつながるのかとか」
父「へぇ、それはもうちょっとした哲学者だね」
娘「本質観取を通して、こうした問いにはちゃんと答えが出せるってこともつかんだから、あきらめずに最後まで考え抜くこともできるようになったと思う」

父「うん。もちろん絶対に正しい答えじゃないんだけど、〝なぁるほど、たしかにその考えは本質的だ〟っていえるところまで、思考を深めることはできるんだよね」

娘「そうすると、人生がブレなくなるっていうか、自分が何を大事にすればいいかが見えるようになったと思う」

父「本質ばかり考えてると、めんどくさいやつって思われるときもあるけどね」

娘「それはあるね（笑）。でも、そんなときも本質観取は役に立つね。人にどう思われるかって、本質的にそんなに重要なことなのかとか、考えられるようにもなったから」

父「それはすごい。前回は大人とは何かって本質観取をやったけど、RNちゃんはもう立派な大人って感じがするよ」

娘「そう？ ありがとう」

父「楽しい二年間だったね。これからも、哲学対話、つづけていこうね。まずは卒業、おめでとう！」

あとがき

親子で哲学対話、お楽しみいただけたでしょうか。

いまでは、長女は中学生になり、少し忙しくなってしまったのもあって、あの頃のようにじっくり本質観取（ほんしつかんしゅ）をする時間はあまりなくなってしまいました（次女とはたまにやっています）。ふり返ってみると、ほんとうに宝物のような時間だったと思います。

そんな時間を、みなさんのご家庭でも、ぜひ過ごしていただけたなら。そんな思いを込めて、本書をつくりました。ぜひ、親子で、あるいは身近な人たちとお楽しみいただければうれしく思います。

今回、こやまこいこさんのかわいいイラストといっしょに本書をつくることができたのは、わたしにとって望外のよろこびでした。

じつはわが家のメンバーは、みんなこいこさんの大ファンなのです。特に名作『次女ちゃん』は、子どもたちが何度もすり切れるほどに読んだ大好きなマンガです。

本書をつくるにあたって、こいこさんとは、本質観取の対話もごいっしょすることができました。テーマは、「いやし」とは何か？　忘れがたい一日となりました。

宝物の時間を、宝物のイラストの中に、タイムカプセルのようにそっと閉じ込めた、大切な作品になりました。こんなにも素敵なイラストを描いてくださったこいこさんに、改めて心より感謝申し上げます。

雑誌連載をしていた頃から、これはぜひ書籍化すべきだとお声がけくださっていたのが、大和書房の長谷川恵子さんでした。わたしにとって、やはりとても思い入れの深い『子どもの頃から哲学者』も担当してくださった編集者さんです。それから二年あまり。ようやくこうして本書が完成したことを、とても感慨深く思っています。ありがとうございました。

最後に、哲学者の竹田青嗣先生と西研先生にお礼を申し上げます。わたしがはじめて本質観取の哲学対話を経験したのは、いまから二〇年前、大学院生の頃に参加していた、竹田ゼミでのことでした。西先生のご著書からは、本質観取の具体的な方法やコツについて、多くを学ばせていただきました。お二人の存在なくして、本書が完成することはありませんでした。ありがとうございました。

戦火が絶えない世界の中で、こんな薄い一冊の本が、一体どれほどの力をもちうるだろうかと思います。

でも、世界の平和の礎は、やはり「対話」にしかありません。
そのささやかなささやかな一助に、本書が少しでもなれたら。
そう願いながら、本書を終えることにしたいと思います。

二〇二四年四月
苫野一徳

苫野一徳

とまの・いっとく

哲学者・教育学者。熊本大学大学院教育学研究科准教授。2児の父。早稲田大学大学院教育学研究科博士課程修了。博士(教育学)。経済産業省「産業構造審議会」委員、熊本市教育委員のほか、全国の多くの自治体・学校等のアドバイザーを歴任。主な著書に、『子どもの頃から哲学者』(大和書房)『勉強するのは何のため?』(日本評論社)『どのような教育が「よい」教育か』(講談社選書メチエ)『教育の力』(講談社現代新書)『はじめての哲学的思考』(ちくまプリマー新書)『「自由」はいかに可能か』(NHKブックス)『「学校」をつくり直す』(河出新書)『ほんとうの道徳』(トランスビュー)『愛』(講談社現代新書)『NHK100分de名著 苫野一徳特別授業 ルソー「社会契約論」』(NHK出版)『未来のきみを変える読書術』(ちくまQブックス)『学問としての教育学』(日本評論社)『『エミール』を読む』(岩波書店)など。

2024年5月30日　第1刷発行

著者　苫野一徳
発行者　佐藤 靖
発行所　大和書房
〒112-0014東京都文京区関口1－33－4
03-3203-4511

ブックデザイン　nimayuma（桑野 桂）
イラスト　こやまこいこ
校正　メイ
本文印刷　信毎書籍印刷
カバー印刷　歩プロセス
製本　小泉製本

ISBN978-4-479-39430-3

https://www.daiwashobo.co.jp/